Sadlier

Dios nos ama

Primer curso

Nihil Obstat
Monsignor Michael F. Hull
Censor Librorum

Imprimatur
✠ Most Reverend Dennis J. Sullivan
Vicar General of the Archdiocese of New York
February 14, 2011

The *Nihil Obstat* and *Imprimatur* are official declaration that these books are free of doctrinal or moral error. No implications contained therein that those who have granted the *Nihil Obstat* and *Imprimatur* agree with the content, opinion or statements expressed.

Acknowledgments

Excerpts from the English translation of *The Roman Missal*, © 2010, International Committee on English in the Liturgy, Inc. All rights reserved.

Scripture excerpts are taken from the *New American Bible with Revised New Testament and Psalms* Copyright © 1991, 1986, 1970, Confraternity of Christian Doctrine, Inc., Washington, D.C. Used with permission. All rights reserved. No part of the New American Bible may be reproduced by any means without permission in writing from the copyright owner.

Excerpts from *La Biblia con Deuterocanónicos*, versión popular, copyright © 1966, 1970, 1979, 1983, William H. Sadlier, Inc. Distribuido con permiso de la Sociedad Bíblica Americana. Reservados todos los derechos.

Excerpts from English translation of *Rite of Baptism for Children*

© 1969, International Committee on English in the Liturgy, Inc. (ICEL); excerpts from the English translation of *Lectionary for Mass* © 1969, 1981, ICEL; excerpts from the English translation of *Book of Blessings* © 1988, International Committee on English in the Liturgy, Inc. All rights reserved.

Excerpts from the *Ritual conjunto de los sacramentos* © 1976, CELAM, Departamento de Liturgia Apartado Aéreo 5278, Bogotá, Colombia. Reservados todos los derechos.

Excerpts from the *Misal Romano* © 1993, Conferencia Episcopal Mexicana, Obra Nacional de la Buena Prensa, A.C. Apartado M-2181, 06000 México, D.F. Reservados todos los derechos.

English translation of the Glory to the Father, the Lord's Prayer, and the Apostles' Creed by the International Consultation on English Texts. (ICET)

"Gracias, Señor" © 1972, Manuel de Terry y Ediciones Musical PAX-PPC. Derechos reservados. Administradora exclusiva en EE. UU.: OCP Publications. "Los niños aman a Cristo" © 1995, José Ysidro López. Obra publicada por OCP Publications. Derechos reservados. "Jesús nos quiere ayudar" © 1999, 2004, Paule Freeburg, D.C. y Christopher Walkers. Obra publicada por OCP Publications. Derechos reservados. Con las debidas licencias. "Jesus Wants to Help Us" music and text © 1999, Christopher Walker and Paule Freeburg, DC. Published by OCP Publications, 5536 NE Hassalo, Portland, OR 97213. All rights reserved. Used with permission. "Salmo 117: Aleluya/Alleluia" letra en español © 1982, SOBICAIN. Derechos reservados. Con las debidas licencias. Respuesta II en inglés © 1969, 1981, 1997, ICEL. Derechos reservados. Con las debidas licencias. Obra publicada por OCP Publications. Derechos reservados. "Nueva creación" © 1979, Cesáreo Gabaráin. Obra publicada por OCP Publications. Derechos reservados. "Pueblo santo y elegido/Holy People, Chosen People" © 1981, 1999, J. Pedro Martins y San Pablo Comunicación, SSP. Derechos reservados. Administradora exclusiva en EE. UU.: OCP Publications. "Jesus, Come to Us" © 1981, 1982, OCP Publications, 5536 NE Hassalo, Portland, OR 97213. All rights reserved. Used with permission. "Alabaré" © 1979, Manuel José Alonso, José Pagán y Ediciones Musical PAX-PPC. Derechos reservados. Administradora exclusiva en EE. UU.: OCP Publications. "Open Our Hearts" © 1989, Christopher Walker. Published by OCP Publications, 5536 NE Hassalo, Portland, OR 97213. All rights reserved. Used with permission. "Con amor jovial/ With Rejoicing Hearts" © 1995, Jaime Cortez. Obra publicada por OCP Publications. Derechos reservados. "Somos una Iglesia" © 1994, Eleazar Cortés. Obra publicada por OCP Publications. Derechos reservados. "Walk in the Light" © 1996, Carey Landry. Published by OCP Publications, 5536 NE Hassalo, Portland, OR 97213. All rights reserved. Used with permission. "La alegría en el perdón" © 1982, Cesáreo Gabaráin. Obra publicada por OCP Publications. Derechos reservados. "Children of God" © 1991, Christopher Walker. Published by OCP Publications, 5536 NE Hassalo, Portland, OR 97213. All rights reserved. Used with permission. "Levántate" © 1989, Cesáreo Gabaráin. Obra publicada por OCP Publications. Derechos reservados. "Awake! Arise, and Rejoice © 1992, Marie-Jo Thum. Published by OCP Publications. 5536 NE Hassalo, Portland, OR 97213. All rights reserved. Used with permission. "Santo, Santo, Santo" © Cristóbal H. Gibson. Obra publicada por OCP Publications. Derechos reservados. Con las debidas licencias."Shout from the Mountains" © 1992, Marie-Jo Thum. Published by OCP Publications, 5536 NE Hassalo, Portland, OR 97213. All rights reserved. Used with permission. "Celebración de unidad" © 1997, Eleazar Cortés. Obra publicada por OCP Publications. Derechos reservados. "We Come to Share God's Special Gift" © 1991, Christopher Walker. Published by OCP Publications, 5536 NE Hassalo, Portland, OR 97213. All rights reserved. Used with permission. "El amor nos unió" © 1977, Carlos Rosas. Obra publicada por OCP Publications. Derechos reservados. "Walk in Love" © 1990, North American Liturgy Resources (NALR), 5536 NE Hassalo, Portland, OR 97213. All rights reserved. Used with permission. "Santos del Señor" © 1993, Jaime Cortez. Obra publicada por OCP Publications. Derechos reservados. "Canto de toda criatura" © 1999, Arsenio Córdova. Obra publicada por OCP Publications. Derechos reservados. "Malo! Malo! Thanks Be to God" © 1993, Jesse Manibusan. Administered by OCP Publications, 5536 NE Hassalo, Portland, OR 97213. All rights reserved. Used with permission. "Aleluya, el Señor resucitó" © 1977, Carlos Rosas. Obra publicada por OCP Publications. Derechos reservados. "Alleluia No. 1" Donald Fishel. © 1973, WORD OF GOD MUSIC (Administered by THE COPYRIGHT COMPANY, Nashville, TN). All rights reserved. International copyright secured. Used with permission.

Printed in the United States of America.

S® is a registered trademark of William H. Sadlier, Inc.
CREEMOS™ is a registered trademark of William H. Sadlier, Inc.

William H. Sadlier, Inc.
9 Pine Street
New York, NY 10005-4700

ISBN: 978-0-8215-6201-7
8 9 10 11 12 WEBC 19 18 17 16

El subcomité para el Catecismo de la Conferencia de Obispos Católicos de los Estados Unidos consideró que esta serie catequética, copyright 2011, está en conformidad con el *Catecismo de la Iglesia Católica.*

The subcommittee on Catechism, United States Conference of Catholic Bishops, has found this catechetical series, copyright 2011, to be in conformity with the *Catechism of the Catholic Church.*

Photo Credits

Cover Photography: Alamy/cwa: *sand castle*; Alamy/Eric Gevaert: *beach sunset*; Neal Farris: *boy*; Getty Images/Iconica/Joe Drivas: *footprints in the sand*; Getty Images/Stone/Art Wolfe: *mission church tower bell*; Ken Karp: *girls*. Interior: Jane Bernard: 180 *bottom right*, 214–215, 232, 236 *center*, 237 *center*, 243, 249, 253, 255 *bottom*, 256–257, 308 *top left*, 308 *bottom right*, 310 bottom *left*, 312 *top left*, 312 *bottom right*, 314 *bottom left*, 340. Jeffrey Blackman: 291 *bottom*. Karen Callaway: 98 *left*, 128 *right*, 129, 164 *bottom*, 165, 168, 180 *bottom left*, 181 *bottom*, 181 *top right*, 182 *top*, 183 *top*, 188–189, 190, 191, 192, 193, 196, 197, 252 *top*, 254–255, 256 *bottom*, 264, 265, 269 *right*, 307, 308 *top right*, 309, 310 *top right*, 310 *top left*, 310 *bottom right*, 311, 312 *top right*, 313, 314 *top right*, 314 *top left*, 314 *bottom right*, 317 *bottom*. Corbis/Alladin Color, Inc.: 185; Owen Franken: 289 *top*; Reed Kaestner: 10; Michael Pole: 49 *bottom*; Ariel Skelley: 289 *bottom*. The Crosiers/Gene Plaisted, OSC: 99 *right*, 108 *right*, 109 *right*, 224, 236 *top*, 237 *top*. Dreamstime.com: 160, 161, 184. Neal Farris: 15, 22, 23, 46, 47, 59, 70, 71, 169, 181 *top left*, 181 *center*, 182 *bottom*, 183 *bottom*, 211, 222–223, 225, 230, 236 *bottom*, 237 *bottom*, 298. Getty Images/AFP: 139; Digital Vision: 217 *top*; The Image Bank/Camille Tokerud Photography Inc.: 200; The Image Bank/Larry Dale Gordon: 268 *right*; The Image Bank/Karen Huntt: 95; Photodisc: 12 *bottom*, 122, 123; Photodisc/Tom Brakefield: 12 *center*; Photodisc/Alan & Sandy Carey: 13 *top right*, 13 *bottom*; Photodisc/Philippe Colombi: 12 *top*; Photodisc/Ericka McConnell: 210 *bottom*; Riser/Jonathan Skow: 128 *left*; Stockbyte: 288 *bottom*; Stone/Romilly Lockyer: 268 *left*; Time & Life Pictures/Selwyn Tait: 138 *bottom*; 318 *bottom*; TG Stock/Tim Graham Photo Library: 144, 145. Jupiter Images/Image Ideas, Inc.: 290 *top*. Ken Karp: 11, 14, 28–29, 32, 33, 58, 110, 111, 134–135, 148, 156, 157, 174, 175, 198–199, 204, 205, 212, 213, 216, 233, 250–251, 258, 259, 266 *bottom*, 267 *top*, 269 *left*, 274, 275 *bottom*, 280, 281, 292–293 *top*, 292–293 *center*, 308 *bottom left*, 312 *bottom left*, 319 *left*. Jean-Claude Lejeune: 140 *right*. Greg Lord: 263. Masterfile/Allan Davey: 290 *bottom*; Tim Kiusalaas: 217 *bottom*. The Messenger/Liz Quirin: 180 *top*, 182 *center*, 183 *center*. OnAsia Images Pte Ltd/Robin Moyer: 138 *top*. PhotoEdit, Inc./Jonathan Nourok: 141 *bottom*; Myrleen Pearson: 286; David Young-Wolff: 292–293 *bottom*. Photolibrary/Benelux: 141 *top*; Mark Gibson: 291 *top*; Chris Lowe: 288 *top*; Valueline: 201 *top*. Used under license from Shutterstock.com: 94, 133. SuperStock/Anton Vengo: 140 *left*; Kwame Zikomo: 132. W.P. Wittman Ltd: 232–233 *top*, 234, 235, 275 *top*.

Illustrator Credits

Series Patterned Background Design: Evan Polenghi. Shawn Banner: 238–239. Teresa Berasi: 164–165, 188, 189. James Bernardin: 284. Joe Boddy: 66, 67, 246, 247. Janet Broxon: 12–13, 16–17, 88–89, 198–199. Penny Carter: 166–167. Chi Chung: 64–65, 100–101. Christopher Corr: 48–49. Stephan Daigle: 250–251. Mena Dolobowsky: 152, 153. James Elston: 18, 19. Nancy Freeman: 110–111. Anna-Liisa Hakkarinen: 162–163. Nathan Jarvis: 20, 21, 68, 69, 96, 97, 218, 219, 220, 221, 294, 295, 305. John Keely: 244–245. Benoit Laverdiere: 204–205. Diana Magnuson: 24–25, 34–35, 38–39, 40–41, 42, 43, 50–51, 52–53, 60–61, 80, 81, 82, 83, 84, 85, 90–91, 102–103, 112–113, 114–115, 120, 121, 136–137, 176–177, 202–203, 240–241, 248, 276–277, 285, 300–301. Claude Martinot: 10–11, 122–123. David Scott Meier: 26–27. Cheryl Mendenhall: 116, 117, 286–287. Bob Ostrom: 54, 55, 56, 57, 106, 107, 208, 209, 270, 271. Leah Palmer Preiss: 126–127. Donna Perrone: 58–59. Pam Rossi: 242. Zina Saunders: 130, 131, 294, 295. Stacey Schuett: 104–105. Jackie Stafford: 62–63, 118, 119. Karen Stormer Brooks: 278–279. Matt Straub: 243, 290–291. Marina Thompson: 178–179, 210–211. Pam Thomson: 70–71, 72–73, 74–75, 76, 77, 78–79, 80–81, 146–147, 148–149, 150–151, 152, 153, 154–155, 156, 157, 158–159, 160, 161, 222–223, 224–225, 226–227, 228, 229, 230–231, 232–233, 234–235, 236, 237, 298–299, 302–303, 304, 305. Amy Vangsgard: 186–187, 292–293. Carolyn Vibbert: 254–255. Sally Vitsky: 14–15, 168–169, 262, 263. Jessica Wolk-Stanley: 170, 171, 172, 173, 197, 272, 273. Mark Weber: 36–37, 124–125. Amy Wummer: 260, 261.

El programa Creemos/We Believe de Sadlier fue desarrollado por un reconocido equipo de expertos en catequesis, desarrollo del niño y currículo a nivel nacional. Estos maestros y practicantes de la fe nos ayudaron a conformar cada lección a la edad de los niños. Además, un equipo de respetados liturgistas, catequistas, teólogos y ministros pastorales compartieron sus ideas e inspiraron el desarrollo del programa.

Contribuyentes en la inspiración y el desarrollo de este programa:

Gerard F. Baumbach, Ed.D.
Director, Centro de Iniciativas Catequéticas
Profesor concurrente de teología
University of Notre Dame

Carole M. Eipers, D.Min.
Vicepresidenta y Directora Ejecutiva
de Catequesis
William H. Sadlier, Inc.

Consultores en liturgia y catequesis

Reverendo Monseñor John F. Barry
Párroco, Parroquia American Martyrs
Manhattan Beach, CA

Mary Jo Tully
Canciller, Arquidiócesis de Portland

Reverendo Monseñor John M. Unger
Superintendente Catequesis y Evangelización
Arquidiócesis de San Luis

Consultores en currículo y desarrollo del niño

Hermano Robert R. Bimonte, FSC
Director ejecutivo
NCEA Departamento de Escuelas primarias

Gini Shimabukuro, Ed.D.
Profesora asociada
Institute for Catholic Educational Leadership
Escuela de Educación
Universidad de San Francisco

Consultores en la escritura

Reverendo Donald Senior, CP, Ph.D., S.T.D.
Miembro, Comisión Bíblica Pontificia
Presidente, Catholic Theological Union
Chicago, IL

Consultores en multicultura

Reverendo Allan Figueroa Deck, SJ, Ph.D., S.T.D.
Director ejecutivo
Secretariado de Diversidad Cultural en la Iglesia
Conferencia de obispos católicos
de los Estados Unidos
Washington, D.C.

Kirk Gaddy
Consultor en educación
Baltimore, MD

Reverendo Nguyễn Việt Hưng
Comité vietnamita de catequesis

Dulce M. Jiménez Abreu
Directora de programas en español
William H. Sadlier, Inc.

Doctrina social de la Iglesia

John Carr
Director ejecutivo
Departamento de Desarrollo
Social y Paz Mundial, USCCB
Washington, D.C.

Joan Rosenhauer
Directora asociada
Departamento de Desarrollo Social
y Paz Mundial, USCCB
Washington, D.C.

Consultores en teología

Reverendísimo Edward K. Braxton, Ph.D., S.T.D.
Consultor teólogo oficial
Obispo de Belleville

Norman F. Josaitis, S.T.D.
Consultor teólogo

Reverendo Joseph A. Komonchak, Ph.D.
Profesor, Escuela de Estudios Religiosos
Catholic University of America

Reverendísimo Richard J. Malone, Th.D.
Obispo de Portland, ME

Hermana Maureen Sullivan, OP, Ph.D.
Profesora asistente de teología
St. Anselm College, Manchester, NH

Consultores en mariología

Hermana M. Jean Frisk, ISSM, S.T.L.
International Marian Research Institute
Dayton, OH

Traducción y adaptación

Dulce M. Jiménez Abreu
Directora de programas en español
William H. Sadlier, Inc.

Consultores en catequesis bilingüe

Rosa Monique Peña, OP
Arquidiócesis de Miami

Reverendísimo James Tamayo D.D.
Obispo de Laredo
Laredo, TX

Maruja Sedano
Directora, Educación Religiosa
Arquidiócesis de Chicago

Timoteo Matovina
Departamento de teología
University of Notre Dame

Reverendo José J. Bautista
Director, Oficina del Ministerio Hispano
Diócesis de Orlando

Equipo de desarrollo

Rosemary K. Calicchio
Vicepresidenta de Publicaciones

Blake Bergen
Director Editorial

Melissa D. Gibbons
Directora de Investigaciones y Desarrollo

Allison Johnston
Editor

Anne M. Connors
Escritora contribuyente

MaryAnn Trevaskiss
Supervisora de edición

Maureen Gallo
Editor

Kathy Hendricks
Escritora contribuyente

William M. Ippolito
Consultor

Joanne McDonald
Editor

Alberto Batista
Editor bilingüe

Margherita Rotondi
Asistente editorial

Consultores en medios y tecnología

Hermana Judith Dieterle, SSL
Ex Presidenta, Asociación Nacional de Profesionales en Catequesis y Medios

Hermana Jane Keegan, RDC
Consultora en tecnología

Michael Ferejohn
Director medios electrónicos
William H. Sadlier, Inc.

Robert T. Carson
Diseño medios electrónicos
William H. Sadlier, Inc.

Erik Bowie
Producción medios electrónicos
William H. Sadlier, Inc.

Consultores de Sadlier

Michaela M. Burke
Directora, Servicios de Consultoría

Judith A. Devine
Consultora nacional de ventas

Kenneth Doran
Consultor nacional de religión

Saundra Kennedy, Ed.D.
Consultora y especialista en entrenamiento

Víctor Valenzuela
Consultor nacional bilingüe

Equipo de edición y operaciones

Deborah Jones
Vicepresidenta, Publicaciones y Operaciones

Vince Gallo
Director creativo

Francesca O'Malley
Directora asociada de arte

Jim Saylor
Director fotográfico

Diseño y equipo fotográfico
Andrea Brown, Keven Butler, Debrah Kaiser, Susan Ligertwood, Cesar Llacuna, Bob Schatz

Equipo de producción
Diane Ali, Monica Bernier, Barbara Brown, Brent Burket, Robin D'Amato, Stephen Flanagan, Joyce Gaskin, Cheryl Golding, María Jiménez, Joe Justus, Vincent McDonough, Yoland
Miley, Maureen Morgan, J
Pagkalinawan, Monica
Julie Riley, Martin Smit

Indice

UNIDAD 1

Jesús nos enseña sobre el amor de Dios

UNIDAD 2

Somos seguidores de Jesús

TIEMPOS LITURGICOS

Contents

UNIT 1

Jesus Teaches Us About God's Love

UNIT 2

We Are Followers of Jesus

SEASONAL CHAPTERS

UNIDAD 3

Pertenecemos a la Iglesia

UNIDAD 4

Celebramos y vivimos nuestra fe

Tiempos liturgicos

UNIT 3

We Belong to the Church

UNIT 4

We Celebrate and Live Our Faith

SEASONAL CHAPTERS

1 Dios es nuestro Padre

NOS CONGREGAMOS

✝ Mostremos nuestro agradecimiento a Dios cantando esta canción.

Gracias, Señor

Gracias, Señor, por nuestra vida,
gracias, Señor, por la ilusión,
gracias, Señor, por la esperanza,
gracias de todo corazón.

Todo es un regalo de Dios. Nombra tus regalos favoritos.

CREEMOS

Dios creó el mundo.

La palabra *crear* significa "hacer". Dios creó nuestro maravilloso mundo. **Creación** es todo lo que Dios hizo.

Génesis 1:1–31

Lee conmigo

Dios creó la luz y el agua. Dios creó las frutas y los vegetales. Dios creó todo tipo de animales. Dios creó a la gente. "Dios vio que todo lo que había hecho estaba muy bien". (Génesis 1:31)

God Is Our Father 1

WE GATHER

✝ Let us show our thanks to God by singing this song.

Thank You, God *("London Bridge")*

Thank you, God, for Earth, our home,
Earth, our home, Earth, our home.
Thank you, God, for Earth, our home.
We say, "Thank you."

Everything in the world is a gift from God.
Name some of your favorite gifts.

WE BELIEVE

God created the world.

The word *create* means "to make." God created our wonderful world. **Creation** is everything God made.

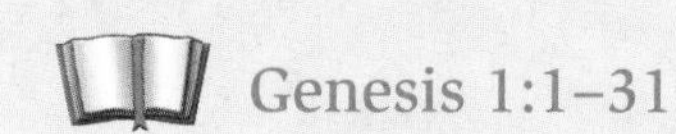

Genesis 1:1–31

Read Along

God created light and water. God created fruits and vegetables. God created all kinds of animals. God created people. Then "God looked at everything he had made, and he found it very good." (Genesis 1:31)

En la Biblia leemos sobre la creación de Dios.
La Biblia es un libro especial acerca de Dios.
La **Biblia** es el libro de la palabra de Dios.
Creemos que Dios es nuestro Padre.
Creemos que todo lo que él creó es bueno.

Nombra algo hermoso que viste hoy.
Recuerda dar gracias a Dios por ese regalo.

Dios creó a toda la gente.

Dios quiso compartir su amor. El creó a
la gente. Somos creados para conocer, amar
y servir a Dios.

Dios no creó igual a todas las personas.
Cada persona es especial para Dios.

Dios quiere que la gente cuide los regalos
de la creación.
El quiere que cuidemos de su mundo.

Haz un dibujo que muestre una forma
en que puedes cuidar del mundo de Dios.

We read about God's creation in the Bible.
The Bible is a special book about God.
The **Bible** is the book of God's Word.
We believe that God is our Father. We believe that everything he created is good.

Name something beautiful you saw today. Remember to thank God for this gift.

God created all people.

God wanted to share his love. So he created people. We were created to know, love, and serve God.

God did not create everyone to be exactly alike. Every person is special to God.

God wants people to take care of his gift of creation.
He wants us to take care of his world.

Draw a picture to show a way you can take care of God's world.

Dios nos da regalos especiales.

Podemos hacer muchas cosas que los animales y las plantas no pueden. Podemos:

- pensar y aprender
- cuidar del mundo de Dios
- compartir amor con nuestros familiares y amigos
- hablar y escuchar a Dios.

Estas cosas son regalos de Dios.
Dios nos da estos regalos para que podamos conocerlo y amarlo.

Las personas también son regalos de Dios.
Ellas nos ayudan a amar a Dios.

¿Cuáles son las personas que te ayudan a crecer en amor a Dios?

Como católicos...

Creemos que Dios creó a los ángeles. Los ángeles son los ayudantes de Dios. Ellos no tienen cuerpo como nosotros. Los ángeles dan mensajes de Dios a la gente. Ellos nos protegen y nos guían. Ellos nunca dejan de alabar a Dios.

¿Cómo puedes tú alabar a Dios?

God gives us special gifts.

We can do many things that animals and plants cannot do.
We can:

- think and learn
- care for God's world
- share love with our families and friends
- listen to and talk to God.

These things are gifts from God. God gives us these gifts so we can know and love him.

People are gifts from God, too. People help us to grow in God's love.

Who are the people who help you to grow in God's love?

As Catholics...

We believe that God created angels. Angels are God's helpers. But they do not have bodies like people do. Angels give people messages from God. They protect and guide us. They never stop praising God.

How can you praise God, too?

Dios promete amarnos siempre.

Dios, nuestro padre, nos ama mucho.
El quiere que lo amemos.
En la Biblia, hay una historia sobre
Adán y Eva.

 Génesis 2—3

Lee conmigo

Adán y Eva vivían en el jardín más hermoso del mundo. Ahí todo era perfecto. Dios les dio todo lo que necesitaban para vivir. Dios quería que ellos fueran felices con él para siempre.

Un día Adán y Eva hicieron algo que Dios les había dicho que no hicieran. Ahora ellos tendrían que vivir en un mundo que ya no era perfecto.

Dios nunca dejó de amar a Adán y a Eva. El prometió que estaría siempre con ellos. El prometió enviar a alguien para ayudarlos a ellos y a sus hijos.

creación es todo lo que Dios hizo

Biblia es el libro de la palabra de Dios

Dios, nuestro Padre, promete estar
con nosotros y amarnos siempre.
El prometió salvar a su pueblo.

RESPONDEMOS

Es importante que recordemos
las promesas de Dios. Hablen sobre
lo que Dios nos prometió. Pon tu
mano derecha en tu pecho y reza.

Gracias, Dios, por amarme siempre.
Prometo amarte también.

God promises to love us always.

God our Father loves us very much.
He wants us to love him.
In the Bible, there is a story about
Adam and Eve.

Genesis 2—3

Key Words

creation everything God made

Bible the book of God's Word

Read Along

Adam and Eve lived in the most beautiful garden in the world. Everything was perfect there. God gave them everything they needed to live. God wanted them to be happy with him forever.

One day Adam and Eve did something God told them not to do. Then they had to live in a world that was not perfect anymore.

God never stopped loving Adam and Eve. He promised that he would be with them always. He promised to send someone to help them and their children.

God our Father promises to be with us
and love us always, too.
He promises to save all people.

WE RESPOND

It is important for us to remember God's promises. Talk about what God promised us. Put your right hand over your heart and pray.

Thank you, God, for loving me always.
I promise to love you in return.

HACIENDO DISCÍPULOS

Muestra lo que sabes

Aparea las palabras del Vocabulario con los dibujos.

- Biblia

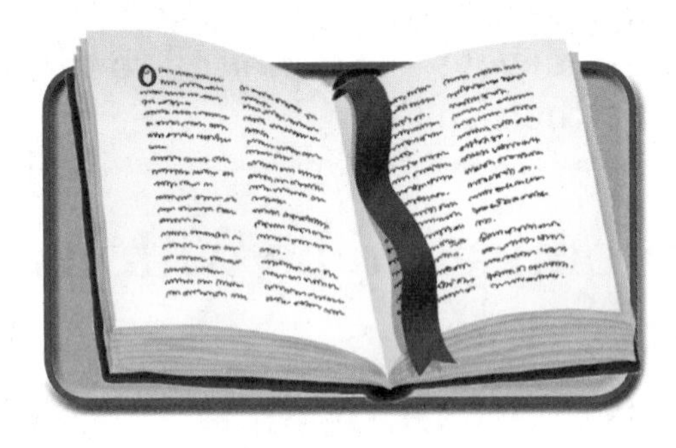

- Creación

Vidas de santos

San Francisco de Asís amó a Dios. El amó todo lo que Dios creó. El cuidó del mundo creado por Dios. Fue amable con los animales. Colorea el dibujo de san Francisco y los animales.

PROJECT DISCIPLE

Show What you Know

Match the Key Words to the pictures.

- Bible

- creation

Saint Francis of Assisi loved God. He loved all of God's creation. He took care of God's world. He was kind and gentle to animals. Color this picture of Saint Francis and the animals.

HACIENDO DISCÍPULOS

Hazlo

Piensa en estos dones de Dios, personas, plantas y animales. ¿Por cuál estás más agradecido? Enciérralo en un círculo.

Personas

Plantas

Animales

Realidad

Pon un ✔ en las formas en que puedes cuidar del mundo de Dios.

- ❑ Reciclando
- ❑ Amando a mi familia
- ❑ No desperdiciando
- ❑ Cuidando de mi mismo

Tarea

Haz una caminata con tu familia. Conversen sobre las cosas creadas por Dios que ven.

Juntos hagan una oración dando gracias a Dios por su creación.

PROJECT DISCIPLE

Make it Happen

Think about God's gifts of people, plants, and animals. Which of these are you most thankful that God created? Circle your choices.

People

Plants

Animals

Reality Check

Check ways you can take care of God's world.

- ❑ Recycle
- ❑ Love my family
- ❑ Try not to be wasteful
- ❑ Take care of myself

Take Home

Take a walk with your family. Talk about the things you see that God made.

Together say a prayer to thank God for his creation.

Creemos en la Santísima Trinidad

NOS CONGREGAMOS

✝ Nos ponemos de pie para celebrar el amor de Dios.
Para cada gesto contestamos:
"Te damos gracias, Dios.
Celebramos tu amor".

- Levanta las manos.
- Aplaude.
- Pon tus manos en tu pecho.
- Cierra los ojos y baja la cabeza.

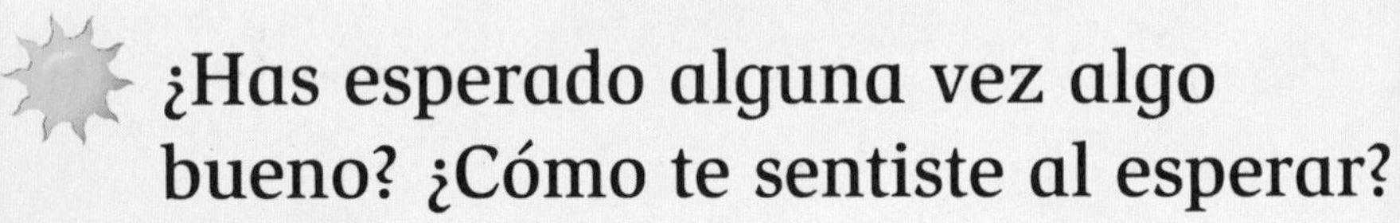

¿Has esperado alguna vez algo bueno? ¿Cómo te sentiste al esperar?

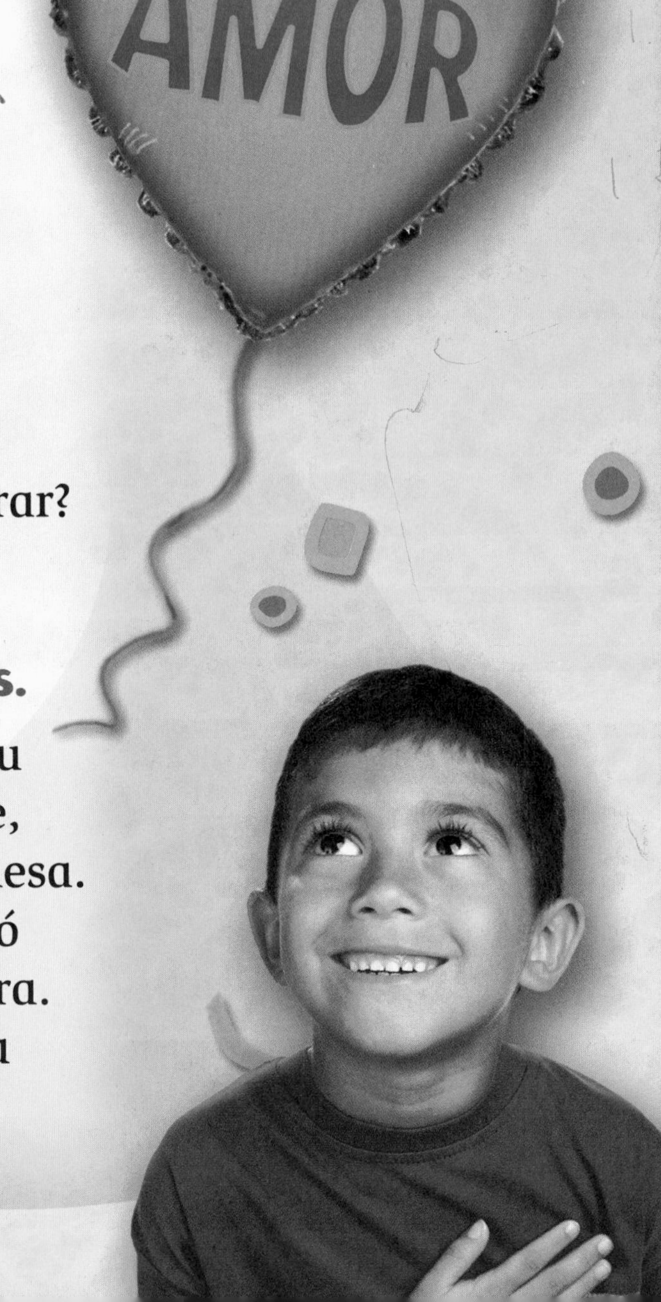

CREEMOS

Dios nos envió a su único Hijo, Jesús.

La gente esperó que Dios cumpliera su promesa de ayudarnos. Dios, el Padre, tenía un plan para mantener su promesa. Nos envió a su propio Hijo. Dios envió a Jesús a vivir con nosotros en la tierra. Dios envió a un ángel a pedir a María que fuera la madre de su Hijo, Jesús.

We Believe in the Blessed Trinity

2

WE GATHER

✝ Let us stand to celebrate God's love.
For each action pray together,
"We thank you, God.
We celebrate your love."

- Raise your arms in the air.
- Clap your hands.
- Put your hands over your heart.
- Close your eyes and bow your head.

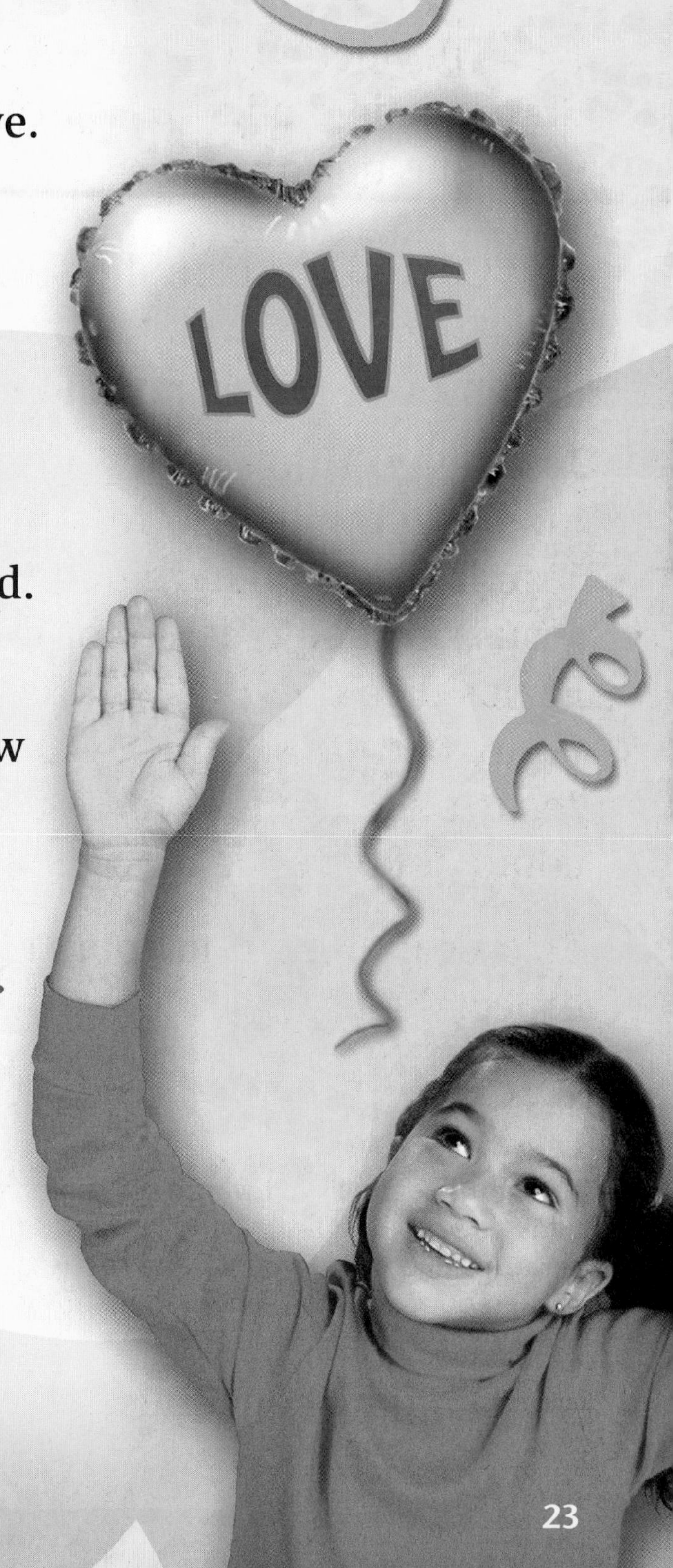

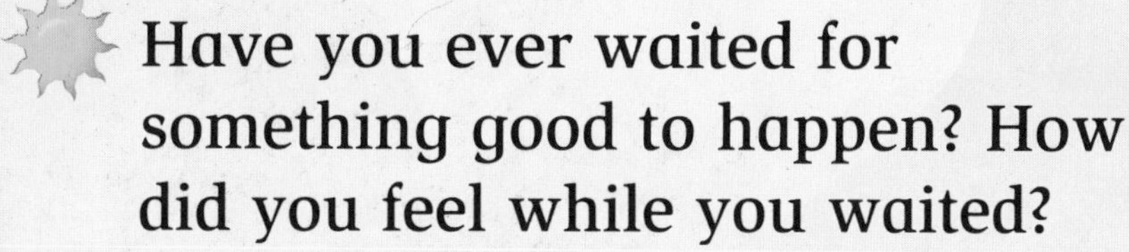

Have you ever waited for something good to happen? How did you feel while you waited?

WE BELIEVE

God sent his own Son, Jesus, to us.

People waited for God to keep his promise to help us. God the Father had a plan for keeping his promise. He sent his own Son to us. God sent Jesus to live with us on earth. God sent an angel to ask Mary to be the Mother of his own Son, Jesus.

Jesús nos enseñó:

- cuanto Dios nos ama
- como amar a Dios
- como amarnos a nosotros mismos
- como amarnos unos a otros.

Jesús prometió ayudarnos siempre.
El prometió enviar al Espíritu Santo
para que nos ayude.

¿Cómo Dios cumplió su promesa?

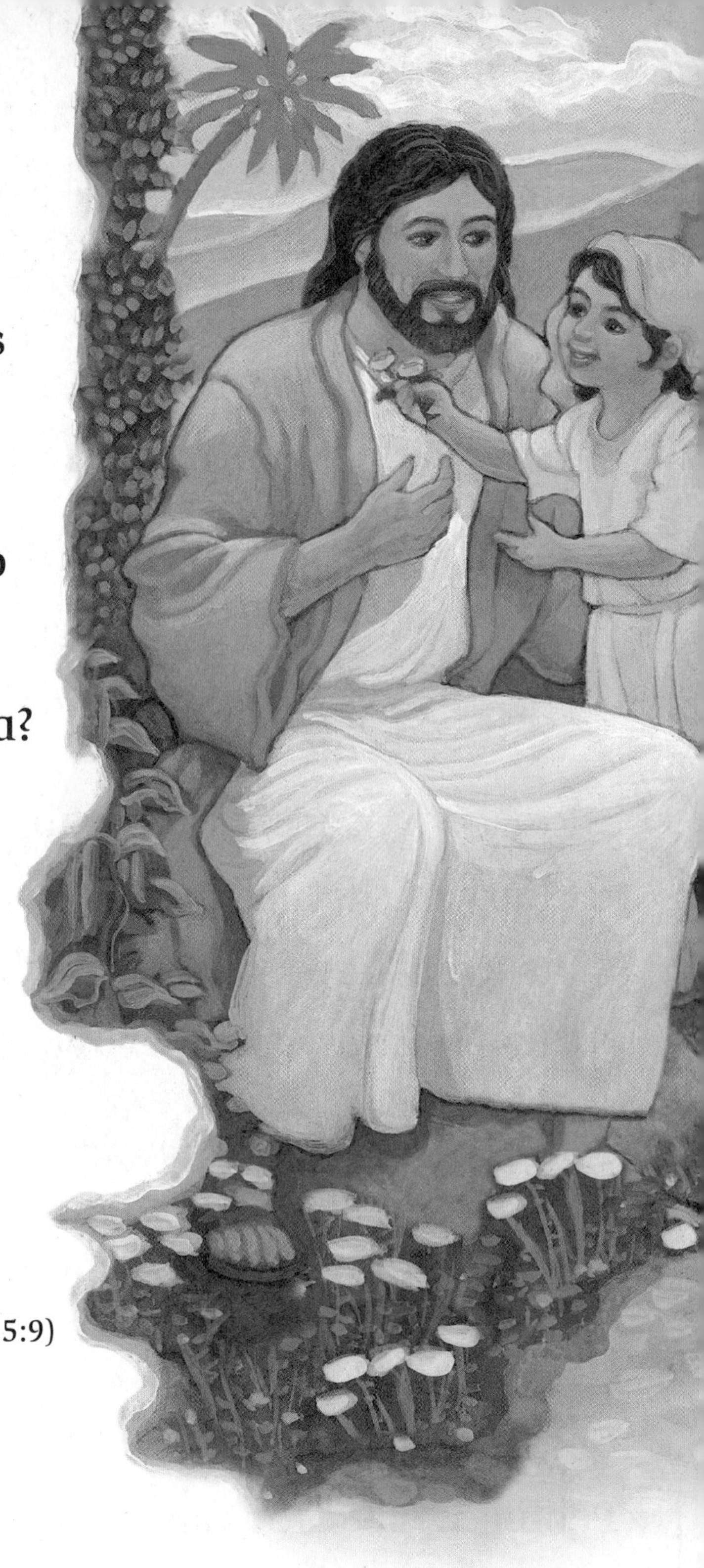

Jesús es el mejor regalo de Dios.

Jesús es el Hijo de Dios que se
hizo uno como nosotros.
Jesús es nuestro hermano y amigo.
Jesús nos habla del amor de Dios.
El nos dice que Dios es nuestro
Padre amoroso.
Jesús dijo: "Yo los amo a ustedes
como el Padre me ama a mí". (Juan 15:9)

Esta es una historia sobre el amor
especial de Jesús.

 Marcos 10:13–14

Lee conmigo

Un día unas familias llevaron a sus niños a ver a Jesús. Ellos querían que Jesús bendijera a los niños. Los amigos de Jesús dijeron a la gente que se fuera. Pero Jesús les dijo: "Dejen que los niños vengan a mí". (Marcos 10:14)

 Dibújate con Jesús.

Jesus showed us:

- how much God loves us
- how to love God
- how to love ourselves
- how to love one another.

Jesus promised to help us, too!
He promised to send the Holy Spirit
to always be our Helper.

How did God keep his promise to us?

Jesus is God's greatest gift.

Jesus is the Son of God who became one of us.
Jesus is our brother and our friend.
Jesus tells us about God's love.
He tells us that God is our loving Father.
Jesus said, "As the Father loves me,
so I also love you." (John 15:9)

Here is a story about Jesus' special love.

 Mark 10:13–14

Read Along

One day families came to Jesus with their children. They wanted Jesus to bless the children. Friends of Jesus told these people to go away. But Jesus said, "Let the children come to me." (Mark 10:14)

Draw yourself with Jesus.

Hay tres Personas en un solo Dios.

Jesús, el Hijo de Dios, nos enseñó sobre Dios Padre y Dios Espíritu Santo.

La **Santísima Trinidad** es un Dios en tres Personas.

- Dios, el Padre, es la primera Persona de la Santísima Trinidad.
- Dios, el Hijo, es la segunda Persona de la Santísima Trinidad.
- Dios, Espíritu Santo, es la tercera Persona de la Santísima Trinidad.

Dios Padre, Dios Hijo y Dios Espíritu Santo están unidos en amor.

Mira el dibujo de los tres círculos. Usa tu color favorito para colorearlos. ¿Cómo puede este dibujo recordarte a la Santísima Trinidad?

Como católicos...

Honramos a San Patricio. San Patricio fue a Irlanda a enseñar a la gente acerca de Dios. Usaba un trébol para ayudar a la gente a entender la Santísima Trinidad. El trébol es una rama con tres hojas. Nos puede recordar las tres Personas en un Dios. Reza con frecuencia a la Santísima Trinidad.

There are Three Persons in One God.

Jesus, the Son of God, taught us about God the Father and God the Holy Spirit.

The **Blessed Trinity** is One God in Three Persons.

- God the Father is the First Person of the Blessed Trinity.
- God the Son is the Second Person of the Blessed Trinity.
- God the Holy Spirit is the Third Person of the Blessed Trinity.

God the Father, God the Son, and God the Holy Spirit are joined in love.

Look at the picture of the three circles joined together. Use your favorite color to color them. What can this picture help you to remember about the Blessed Trinity?

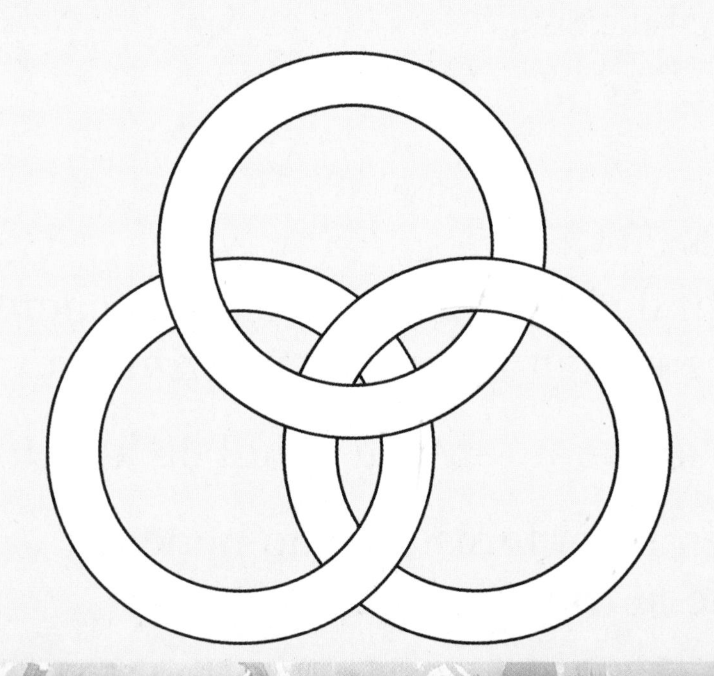

As Catholics...

We honor Saint Patrick. Saint Patrick went to Ireland to teach the people about God. He showed them a shamrock to help them learn about the Blessed Trinity. A shamrock is a plant that has three leaves. It can remind us about the Three Persons in One God. Pray to the Blessed Trinity often.

La Señal de la Cruz es una oración a la Santísima Trinidad.

Cuando rezamos mostramos nuestro amor a Dios.
Rezar es escuchar y hablar con Dios.
Podemos rezar con nuestras propias palabras. Podemos rezar oraciones escritas por otros.

Santísima Trinidad es un Dios en tres Personas: Dios Padre, Dios Hijo y Dios Espíritu Santo

rezar es escuchar y hablar con Dios

Señal de la Cruz es una oración a la Santísima Trinidad

Usamos estos gestos al rezar la **Señal de la Cruz**.

En el nombre del Padre

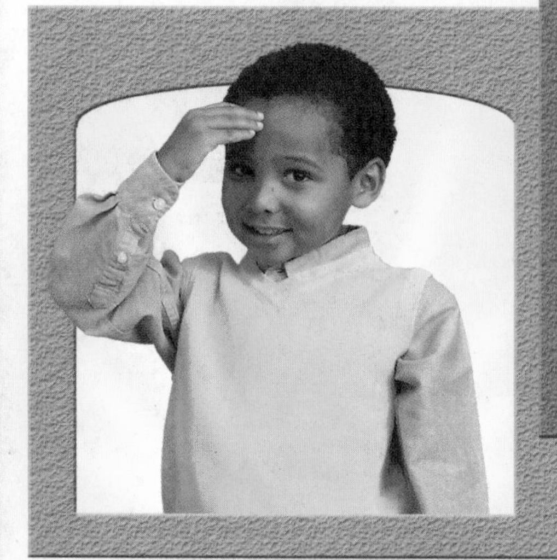

In the name of the Father,

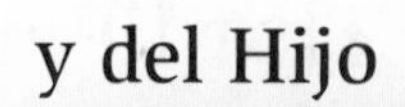

y del Hijo

and of the Son,

y del Espíritu

and of the Holy

RESPONDEMOS

La Señal de la Cruz siempre nos recuerda que creemos en la Santísima Trinidad.

Vamos ahora a rezar la Señal de la Cruz.

¿A quién recordarás cuando hagas la señal de la cruz?

The Sign of the Cross is a prayer to the Blessed Trinity.

When we pray, we show our love for God. **Prayer** is listening and talking to God. We can pray in our own words. We can say prayers written by others.

We use special actions as we pray the **Sign of the Cross**.

Blessed Trinity One God in Three Persons: God the Father, God the Son, and God the Holy Spirit

prayer listening and talking to God

Sign of the Cross prayer to the Blessed Trinity

Santo.

Spirit.

Amén.

Amen.

WE RESPOND

The Sign of the Cross always reminds us that we believe in the Blessed Trinity.

Let us pray the Sign of the Cross now.

Who will you remember when you are making the sign of the cross?

HACIENDO DISCÍPULOS

Muestra lo que sabes

Traza las palabras del Vocabulario. Habla de cada una de ellas.

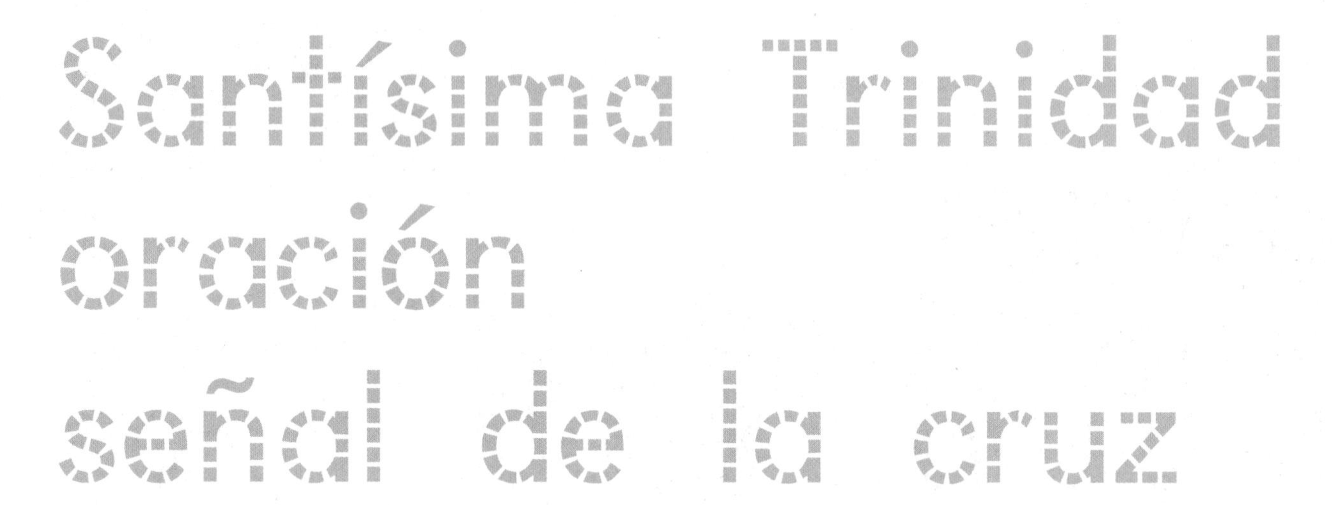

Exprésalo

¿Quién es el regalo de Dios más importante? Dibújalo aquí.

PROJECT DISCIPLE

Show What you Know

Trace the Key Word. Talk about each one.

Blessed Trinity

prayer

Sign of the Cross

Picture This

Who is God's greatest gift? Draw him here.

HACIENDO DISCIPULOS

Aparea los dibujos y las palabras. Después, haz la señal de la cruz.

En el nombre del Padre,

Amén.

y del Espíritu

Santo.

y del Hijo,

Datos

Los católicos inician la misa haciendo la señal de la cruz. Esto muestra que creen en la Santísima Trinidad.

Tarea

Orar es escuchar y hablar con Dios. Pueden rezar en familia. Juntos recen esta oración.

Gracias Dios por el don de tu Hijo, Jesús.

PROJECT DISCIPLE

Draw a line to match the pictures to the words. Then, pray the Sign of the Cross.

In the name of the Father,

Amen.

and of the Holy

Spirit.

and of the Son,

Catholics begin the Mass by making the Sign of the Cross. This shows they believe in the Blessed Trinity.

Take Home

Prayer is listening to and talking to God. You can pray as a family. Together, say this prayer.

Thank you, God, for the gift of your Son, Jesus.

3 Jesús creció en una familia

NOS CONGREGAMOS

✝ **Líder:** Por nuestras familias, para que crezcan en amor a Dios, rezamos:

Todos: Dios, ayúdanos a compartir tu amor.

Líder: Por las familias que no tienen lo necesario para vivir, rezamos:

Todos: Dios, ayúdanos a compartir tu amor.

¿Qué tiene tu familia de especial?

CREEMOS

Dios escogió a María para ser la madre de su Hijo.

Dios quiso mucho a María. María siempre hizo lo que Dios quería.

 Lucas 1:26–35, 38

Lee conmigo

Un día Dios envió a un ángel a una joven llamada María. El ángel le dijo que ella iba a tener un bebé. También le dijo que lo llamara Jesús. El ángel le dijo: "El niño que va a nacer será llamado Santo e Hijo de Dios". (Lucas 1:35)

María le dijo al ángel que ella haría lo que Dios quisiera.

Jesus Grew Up in a Family

WE GATHER

✝ **Leader:** For our families, that we may all keep growing in God's love, we pray,

All: God, please help us to share your love.

Leader: For families who do not have everything they need to live, we pray,

All: God, please help us to take care of them.

What is special about your family?

WE BELIEVE

God chose Mary to be the Mother of his Son.

God loved Mary very much.
Mary always did what God wanted.

Luke 1:26–35, 38

Read Along

One day God sent an angel to a young girl named Mary. The angel told her that she was going to have a son. Mary was also told to name him Jesus. The angel said, "Therefore the child to be born will be called holy, the Son of God." (Luke 1:35)

Mary told the angel that she would do what God wanted.

María es la madre del único Hijo de Dios, Jesús.
Jesús ama a su madre. El quiere que nosotros también la amemos.

Colorea la palabra sí. Pide a María que te ayude a decir sí a Dios.

Jesús nació en Belén.

María estaba casada con un hombre llamado José.
María iba a tener un bebé.
María y José esperaron el nacimiento de Jesús.
José fue el padre adoptivo de Jesús.

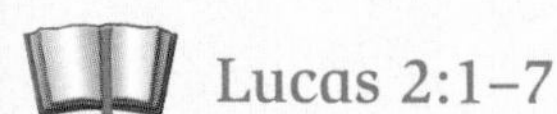

Lee conmigo

Durante ese tiempo se decretó que todo hombre tenía que ir al pueblo de la familia de su padre. Ellos tenían que firmar una lista y ser contados. José era del pueblo de Belén. Así que él y María tuvieron que ir allá.

Cuando María y José llegaron a Belén, había mucha gente. Ellos no encontraron un lugar donde quedarse. Al fin encontraron un lugar junto a los animales. Ahí descansaron. Tarde en la noche, María tuvo su bebé. "Y lo envolvió en pañales y lo acostó en el establo porque no había alojamiento para ellos en el mesón". (Lucas 2:7)

Mary is the Mother of God's only Son, Jesus. Jesus loves his mother. He wants us to love her, too.

Color the word YES. Ask Mary to help you say YES to God.

Jesus was born in Bethlehem.

Mary married a man named Joseph.
Mary was going to have a baby.
Mary and Joseph were waiting for Jesus to be born.
Joseph would be Jesus' foster father.

 Luke 2:1–7

Read Along

During that time a new rule was made. All men had to go back to the town of their father's family. They had to sign a list and be counted. Joseph was from the town of Bethlehem. So he and Mary had to go there.

When Mary and Joseph got to Bethlehem, it was very crowded. They looked for a place to stay. There was no room for them anywhere. At last, they found a place where animals were kept. They rested there. Later that night, Mary had a baby boy. "She wrapped him in swaddling clothes and laid him in a manger, because there was no room for them in the inn." (Luke 2:7)

En **Navidad** celebramos el nacimiento de Jesús. Podemos celebrarlo compartiendo la historia del nacimiento de Jesús.

¿Qué puedes decir a tus familiares y amigos sobre el nacimiento de Jesús?

Jesús vivió en Nazaret con María y José.

Llamamos **Sagrada Familia** a la familia de Jesús, María y José. La Sagrada Familia vivió en Nazaret. Tíos, tías y primos también vivían ahí. Jesús y su familia se querían.

Jesús obedeció a María y a José. El hacía lo que ellos le mandaban.

¿De qué forma Jesús, María y José se ayudaban?

Colorea el corazón sólo si está al lado de la forma en que la Sagrada Familia se amaba.

- ♡ no compartían sus cosas
- ♡ se ayudaban en las tareas
- ♡ eran amables unos con otros

Encierra en un círculo la forma en que ayudarás a tu familia.

Como católicos...

Todos los años, nueve días antes de la Navidad, los católicos en México dramatizan la historia de María y José en su camino a Belén. La gente participa en procesiones llamadas posadas. Los que hacen de José y María van de casa en casa, pero nadie les da alojamiento hasta el último día. Entonces la persona que hace de posadero los deja entrar. Todos entran para celebrar el nacimiento de Jesús.

¿Cómo celebras el nacimiento de Jesús en tu familia?

At **Christmas** we celebrate the birth of God's Son, Jesus. We can celebrate by sharing the story of Jesus' birth.

What would you tell your family and friends about the birth of Jesus?

As Catholics...

Each year during the nine days before Christmas, Catholics in Mexico act out the story of Mary and Joseph on their way to Bethlehem. People take part in this outdoor play called *Las Posadas*. In English these words mean "The Inns." Those who play Mary and Joseph go from house to house. But no one will let them in until the last day. Then the person playing the innkeeper lets them in. The rest of the people enter and celebrate the birth of Jesus.

How do you celebrate the birth of Jesus with your family?

Jesus lived in Nazareth with Mary and Joseph.

We call Jesus, Mary, and Joseph the **Holy Family**. The Holy Family lived in Nazareth. Uncles, aunts, and cousins lived there, too. Jesus and his family loved one another.

Jesus obeyed Mary and Joseph. He did what they asked him.

What are ways Jesus, Mary, and Joseph helped one another?

Color the heart only if it is next to a way the Holy Family showed their love.

♡ did not share their things

♡ helped each other with chores

♡ were kind to each other

Circle what you will do to help your family.

La Sagrada Familia obedeció y rezó a Dios Padre.

Jesús, María y José creyeron en un solo y verdadero Dios. Ellos amaron mucho a Dios. Ellos obedecieron las leyes de Dios.

La Sagrada Familia rezaba a Dios. Ellos rezaban todas las mañanas y todas las noches. Ellos rezaban todas las semanas con otras familias judías. Ellos escuchaban historias sobre Dios y su pueblo.

RESPONDEMOS

¿Cuándo reza tu familia? Comparte esta oración con tu familia a la hora de comer.

Bendícenos, Señor,
y a estos dones
que vamos a recibir
de tu generosidad.
Por Cristo, nuestro Señor.
Amén.

Vocabulario

Navidad tiempo cuando celebramos el nacimiento de Jesús, el Hijo de Dios

Sagrada Familia la familia de Jesús, María y José

The Holy Family obeyed God the Father and prayed to him.

Jesus, Mary, and Joseph believed in the one, true God.
They loved God very much.
They obeyed God's laws.

The Holy Family prayed to God.
They prayed every morning and every night.
They joined other Jewish families for prayer each week.
They listened to stories about God and his people.

WE RESPOND

When does your family pray together?

Share this prayer at your family meals.

> Bless us, O Lord,
> and these your gifts
> which we are about to receive
> from your goodness.
> Through Christ our Lord.
> Amen.

Key Words

Christmas the time when we celebrate the birth of God's Son, Jesus

Holy Family the family of Jesus, Mary, and Joseph

HACIENDO DISCÍPULOS

Muestra lo que sabes

Escribe las palabras del Vocabulario en los bloques. Después habla de cada una.

Navidad

sagrada familia

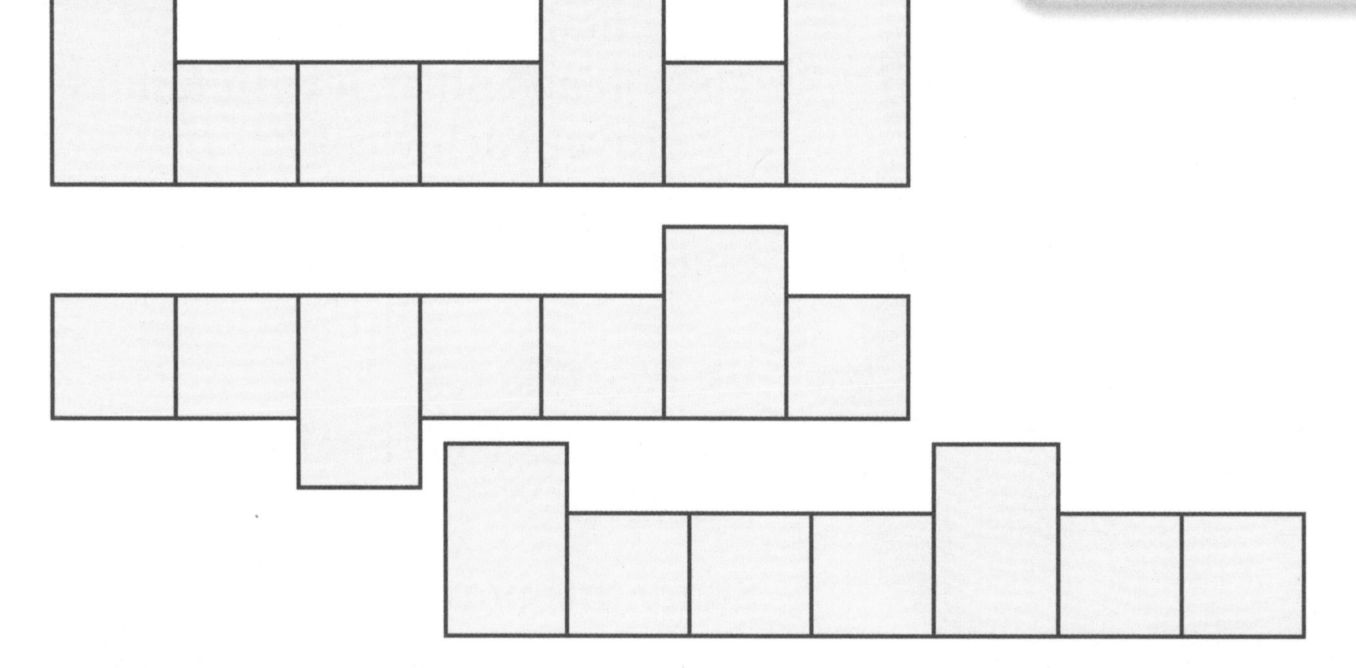

Exprésalo

Haz un dibujo para completar la historia.

Dios envió un ángel a María.

Jesús nació en Belén.

La sagrada familia vivió en Nazaret.

PROJECT DISCIPLE

Show What you Know

Write the Key Words into the word shapes.
Then, talk about each one.

Christmas

Holy Family

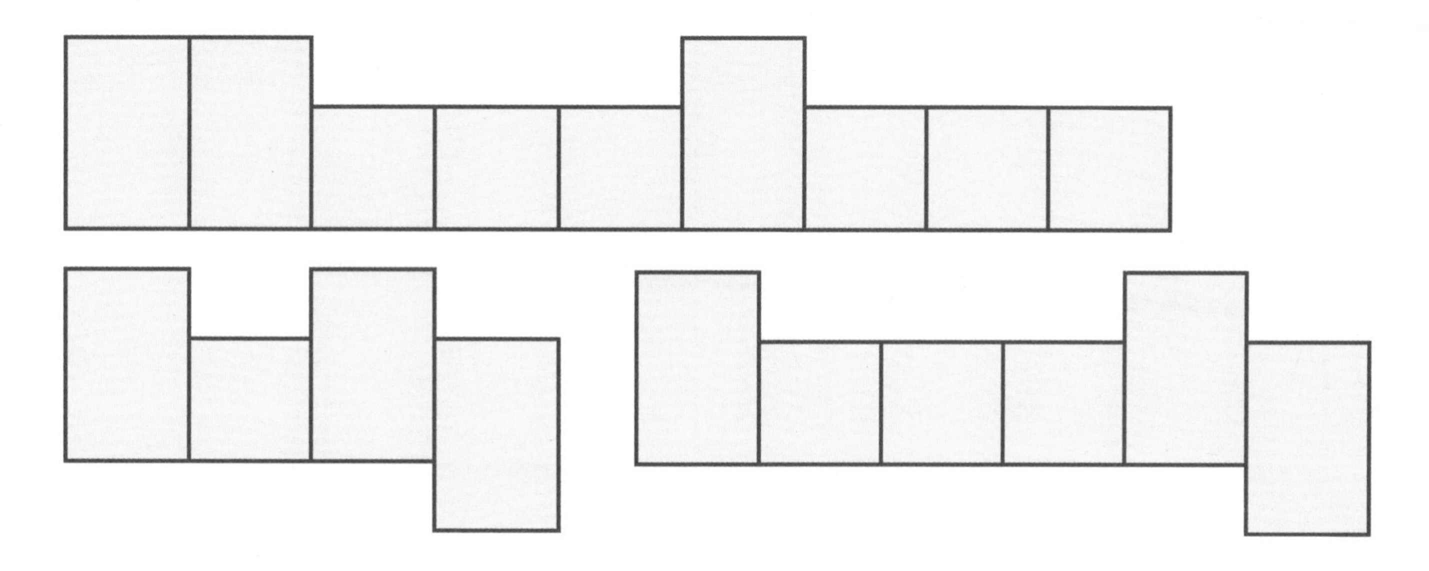

Picture This

Fill in this picture story.

God sent an angel to Mary.

Jesus was born in Bethlehem.

The Holy Family lived in Nazareth.

HACIENDO DISCIPULOS

Celebra

Completa el cuadro. Usa dibujos o palabras.

¿De qué forma celebras tu cumpleaños?	¿De qué forma celebras el cumpleaños de Jesús?

Realidad

Pon un ✔ en tu forma favorita de ayudar a tu familia.

- ❑ Limpiar mi cuarto
- ❑ Escuchar
- ❑ Ser amable
- ❑ Rezar por mi familia
- ❑ ______________________

(tu idea)

Tarea

Busca algunas revistas que haya en tu casa. Escoge dibujos de familias haciendo cosas. Haz un collage de las diferentes cosas que *tu* familia puede hacer. Conversen sobre formas en que tu familia puede parecerse a la sagrada familia.

PROJECT DISCIPLE

Celebrate!

Complete the chart. Use words or pictures.

What are some ways you celebrate your birthday?	What are some ways you celebrate Jesus' birth?

Reality Check

Check your favorite ways to help your family.

❑ Clean my room

❑ Listen

❑ Be kind

❑ Pray for my family members

❑ ______________________
(your own way)

Take Home

Gather some family magazines. Find pictures of families doing things together. Make a collage of the different things that *your* family members do together. Talk about ways your family is like the Holy Family.

Jesús trabaja con el pueblo

NOS CONGREGAMOS

Líder: Jesús está siempre con nosotros.

Los niños aman a Cristo

Los niños quieren aprender de Dios,
los niños quieren conocer a Cristo,
los niños quieren adorar a Dios,
los niños siempre aman a Jesús.
"Vengan a mí", dijo Jesús, Buen
Pastor.
Encontrarán un reino de amor.

¿Has ayudado alguna vez a alguien que da la bienvenida a un visitante especial? ¿Qué hiciste?

CREEMOS

Juan el Bautista ayudó a la gente a prepararse para recibir a Jesús.

Juan era primo de Jesús.
Cuando Juan creció, él fue uno de los ayudantes de Dios.

Jesus Works Among the People

WE GATHER

✝ **Leader:** Jesus is always with us.

♫ **Jesus in the Morning**

Jesus, Jesus,
Jesus in the morning,
Jesus at the noon time;
Jesus, Jesus,
Jesus when the sun goes down!

Love him, love him,
Love him in the morning,
Love him at the noon time;
Love him, love him,
Love him when the sun goes down!

Have you ever helped someone to welcome a special visitor? What did you do?

WE BELIEVE

John the Baptist helped people to get ready for Jesus.

John was the cousin of Jesus. When John grew up, he became one of God's helpers.

Juan pidió al pueblo poner a Dios primero en sus vidas. El les pidió compartir y ser justos.

Mucha gente escuchó el mensaje. Juan, llamado Juan el Bautista, estaba preparando a la gente. Ellos se estaban preparando para dar la bienvenida a Jesús, el Hijo de Dios, en sus vidas.

Como católicos...

Todos necesitamos momentos de quietud para rezar a Dios. Podemos alabar a Dios. Podemos dar gracias a Dios. Podemos pedir a Dios que nos ayude. Antes de Jesús empezar a enseñar, él fue al desierto. El fue allí para rezar a Dios.

¿Cuál es tu lugar especial para rezar?

Necesitas estar listo para recibir a Jesús todos los días.

Encierra en un círculo como puedes darle la bienvenida hoy.

Compartiendo con mis amigos.

Haciendo mis oraciones.

Siendo justo cuando juego.

Ayudando a mi familia en la casa.

Jesús compartió el amor de Dios con todo el mundo.

Jesús fue de pueblo en pueblo enseñando. El habló sobre Dios. Jesús trató a todo el mundo con respeto. El compartió la buena nueva del amor de Dios con todos.

John told people to put God first
in their lives.
He told them to share and be fair.

Many people heard John's message.
John, called John the Baptist,
was getting the people ready.
They were getting ready to welcome
Jesus, the Son of God, into their lives.

As Catholics...

We all need to take quiet time to pray to God. We can praise God. We can thank God. We can ask God for help. Before Jesus began to teach, he went into the desert. He went there to pray to God.

Where is your special place to pray?

You need to be ready to welcome
Jesus every day.

Circle one way you can welcome
him today.

Share with my friends.

Say my prayers.

Be fair when I play.

Help my family at home.

Jesus shared God's love with all people.

Jesus went from town to town
teaching people.
He told them about God.

Jesus treated all people with respect.
He shared the news of God's love
with everyone.

He aquí una historia sobre alguien que conoció a Jesús.

 Lucas 19:1–5

Lee conmigo

Un día Jesús visitó un pueblo llamado Jericó. Mucha gente se reunió para ver a Jesús. Un hombre muy rico llamado Zaqueo también quería ver a Jesús. Zaqueo era pequeño y no podía ver bien sobre las cabezas de los demás. El subió a un árbol y se sentó para, desde ahí, poder ver a Jesús.

Cuando Jesús pasó lo miró y dijo: "Zaqueo, baja enseguida, porque hoy tengo que quedarme en tu casa". (Lucas 19:5)

Zaqueo se puso muy contento. Jesús iba a ir a su casa. Jesús sabía que Zaqueo necesitaba escuchar la buena nueva del amor de Dios.

¿Qué aprendiste sobre esta historia de Jesús?

Jesús enseña que Dios nos cuida y vela por nosotros.

 Lucas 12:22–24

Lee conmigo

Un día Jesús estaba enseñando. El señaló a las aves que volaban sobre la gente. Dijo que las aves no tenían que preocuparse por la comida. Dios cuida de las aves. El les dijo que Dios nos cuida más. Jesús dijo: "¡Cuánto más valen ustedes que las aves!" (Lucas 12:24)

Dios nos ama y nos cuida aun cuando no nos demos cuenta. Cuando creemos que alguien nos ama, **confiamos** en ellos. Jesús nos pide confiar en Dios.

Here is a story about someone Jesus met.

Luke 19:1–5

Read Along

One day Jesus visited a town named Jericho. A large crowd gathered to see Jesus. A very rich man named Zacchaeus wanted to see Jesus, too. Zacchaeus was so short that he could not see above the heads of the other people. He climbed a tree and sat in the branches so that he could see Jesus.

When Jesus came he looked up and said, "Zacchaeus, come down quickly, for today I must stay at your house." (Luke 19:5)

Zacchaeus was very happy.
Jesus was coming to his house.
Jesus knew that Zacchaeus needed to hear the news of God's love.

 What did you learn about Jesus from this story?

Jesus teaches that God watches over us and cares for us.

Luke 12:22–24

Read Along

One day Jesus was teaching. He pointed to the birds flying above the crowd. Jesus said that the birds did not have to worry about food. God cares for the birds. God cares for people even more! Jesus said, "How much more important are you than birds!" (Luke 12:24)

God loves and takes care of us even when we do not know it. When we believe someone loves us, we **trust** them. Jesus tells us to trust God.

Jesús ayudó a los necesitados.

Jesús consoló a los que tenían miedo o estaban tristes.
El ayudó a los pobres y a los que tenían hambre.
El sanó a los enfermos.

 Mateo 20:29–34

Lee conmigo

Un día una gran multitud seguía a Jesús. Dos ciegos escucharon que Jesús estaba pasando. Ellos gritaron pidiéndole ayuda. Jesús se detuvo y les preguntó: "¿Qué quieren que haga por ustedes?" Ellos le contestaron. "Señor, que recobremos la vista". (Mateo 20:32–33)

Jesús tocó sus ojos. Inmediatamente pudieron ver. Ellos empezaron a seguir a Jesús.

RESPONDEMOS

¿Qué crees que dijeron los hombres cuando Jesús los sanó?

 Completa esta oración apareando.

Jesús,

- Abre mis ____s. Para que puedan *ver* a las personas en necesidad.

- Ayuda mis ____s para *escuchar* tu palabra.

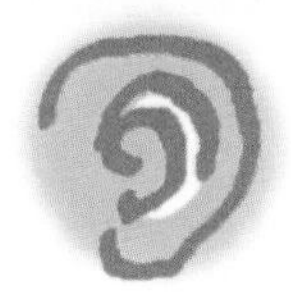

- Permite a mis ____s *hacer* bien a los demás.

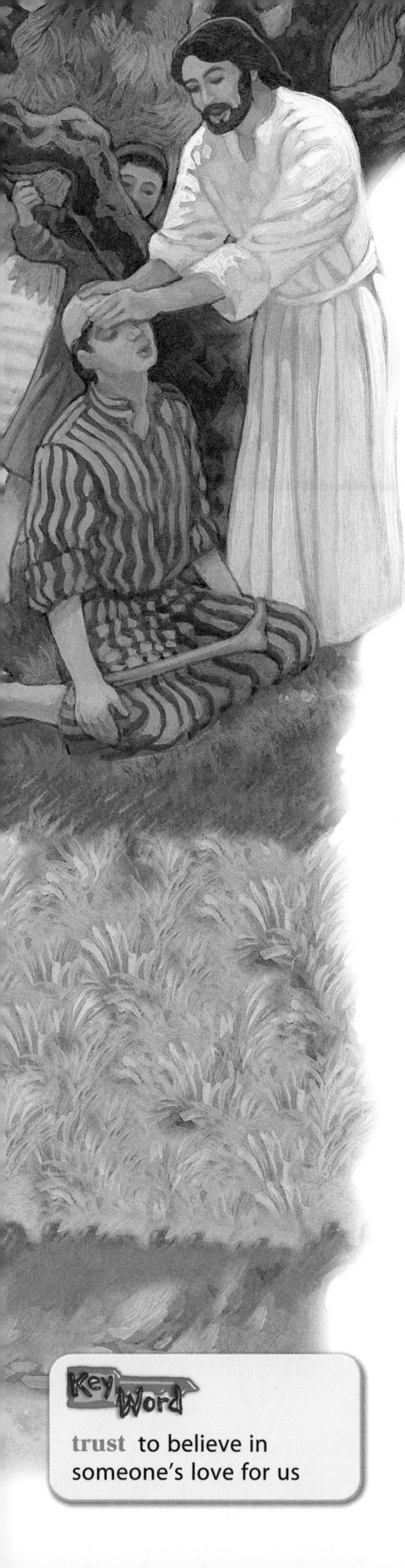

Jesus helped all those in need.

Jesus comforted people who were sad or afraid.
He helped people who were poor or hungry.
He healed people who were sick.

 Matthew 20:29–34

Read Along

One day a large crowd was following Jesus. Two blind men heard that Jesus was passing by. They cried out to him for help. Jesus stopped and asked, "What do you want me to do for you?" They answered him, "Lord, let our eyes be opened." (Matthew 20:32, 33)

Then Jesus touched their eyes. Right away the two men could see. They began to follow Jesus.

WE RESPOND

What do you think the two men said after Jesus healed them?

Finish this prayer by matching.

Jesus,

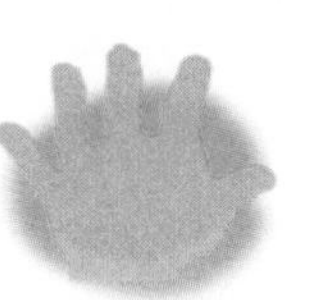

- Open my ____s. May they *see* people who need help.

- Help my ____s to *hear* your word.

- Let my ____s *do* good for others.

Key Word
trust to believe in someone's love for us

HACIENDO DISCÍPULOS

Muestra lo que sabes

Escribe una oración usando la palabra del Vocabulario confianza.

¿Qué harás?

Rosa dejó caer su merienda durante el recreo. Estaba triste y enojada. Enrique quería ayudarla.

En la (globo) escribe lo que Enrique dijo a Rosa.

Show What you Know

Write a sentence using the Key Word trust.

____

What Would you do?

Jess spilled her snack during snack time. She felt sad and hungry. Henry wanted to help Jess.

In the speech balloon write what Henry could say to Jess.

HACIENDO DISCÍPULOS

Hazlo

Jesús compartió la buena nueva del amor de Dios con todos. Dibuja una forma en que puedes compartir la buena nueva del amor de Dios.

Reza

Rezar por las personas es otra forma de ayudarlas y amarlas. Piensa en alguien que necesite de tu amor. Haz una oración por esa persona.

RETO PARA EL DISCIPULO Reza tu oración con amigos y familiares.

Tarea

Encierra en un círculo la forma en que tu familia puede compartir el amor de Dios con los enfermos:

- rezando por y con ellos
- alentándolos
- escuchándolos
- leyendo historias bíblicas con ellos.
- ______________________
  (otra forma)

PROJECT DISCIPLE

Make it Happen

Jesus shared the news of God's love with everyone. Draw one way you can share the news of God's love.

Pray Today

Praying for people is another way to help and love them. Think of someone you know who needs your love. Say a prayer for this person.

DISCIPLE CHALLENGE Pray your prayer with friends and family.

Take Home

Circle one way your family can share God's love with people who are sick:

- praying for or with them
- cheering them up
- listening to them
- reading Bible stories to them.
- ______________________
  (another way)

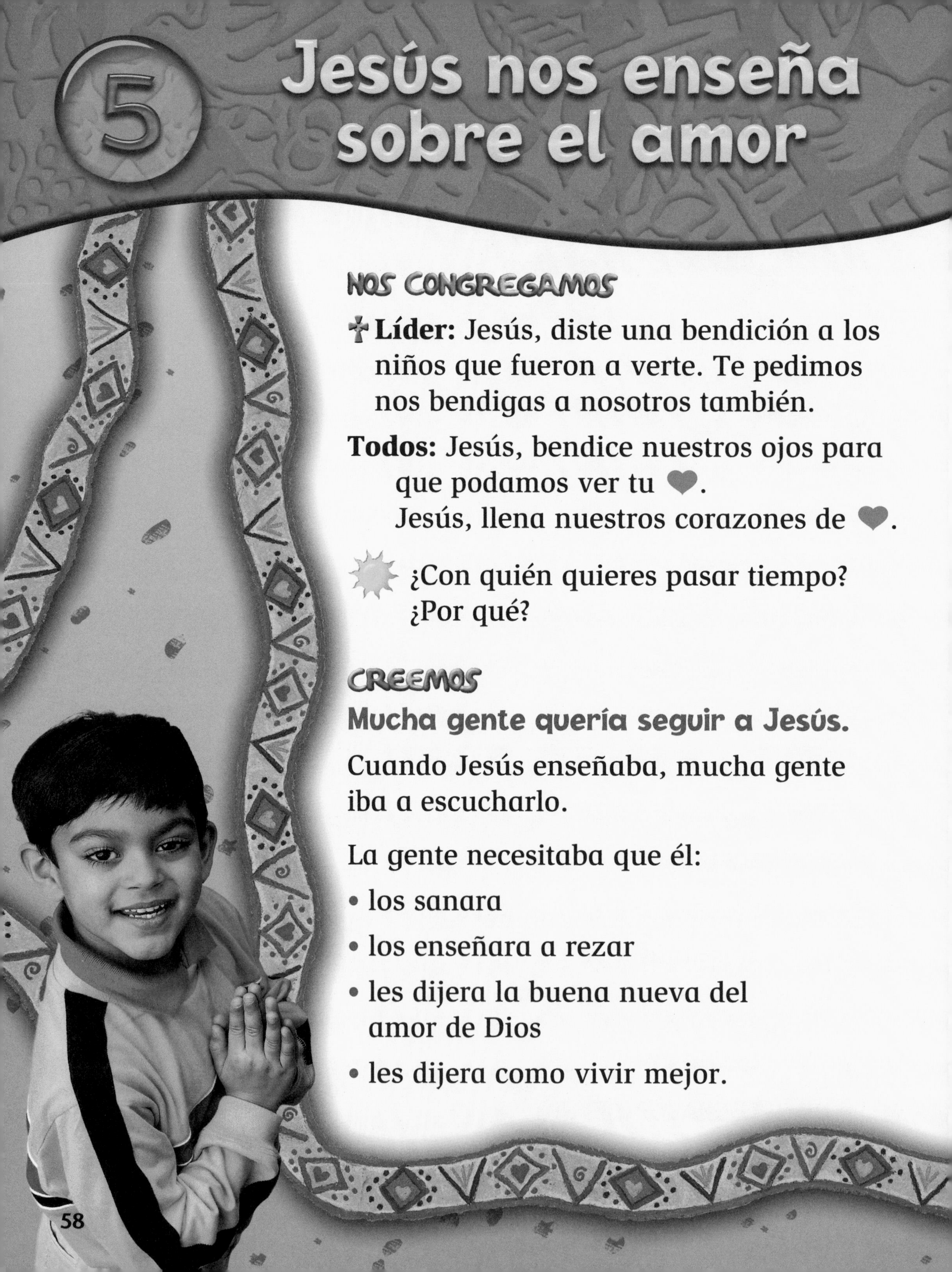

5 Jesús nos enseña sobre el amor

NOS CONGREGAMOS

✝ **Líder:** Jesús, diste una bendición a los niños que fueron a verte. Te pedimos nos bendigas a nosotros también.

Todos: Jesús, bendice nuestros ojos para que podamos ver tu ❤.
Jesús, llena nuestros corazones de ❤.

¿Con quién quieres pasar tiempo? ¿Por qué?

CREEMOS

Mucha gente quería seguir a Jesús.

Cuando Jesús enseñaba, mucha gente iba a escucharlo.

La gente necesitaba que él:

- los sanara
- los enseñara a rezar
- les dijera la buena nueva del amor de Dios
- les dijera como vivir mejor.

Jesus Teaches Us About Love

5

WE GATHER

✝ **Leader:** Jesus, you blessed the children
who came to see you.
We ask you to bless us now.

All: Jesus, bless our eyes
so we may see your ♥.
Jesus, fill our hearts with ♥.

Who do you like to spend time with? Why?

WE BELIEVE

Many people wanted to follow Jesus.

When Jesus taught, crowds of people would come to hear him.

The people needed Jesus to:

- make them feel better
- teach them to pray
- tell them the Good News about God's love
- tell them how to live a better life.

Después de estar con Jesús, la gente se daba cuenta de cómo era el amor de Dios.
Jesús hacía que todo el mundo se sintiera especial.

¿Cómo puedes pasar tiempo con Jesús? Encierra en un círculo lo que puedes hacer.

- Rezar.
- Escuchar historias sobre Jesús.
- Compartir el amor de Jesús con otros.

Jesús enseñó el Gran Mandamiento.

Mandamientos son leyes o reglas que Dios nos dio.
Estas leyes nos ayudan a vivir como Dios quiere que vivamos.
Jesús nos enseñó el Gran Mandamiento.

Jesús dijo:
"Ama al Señor tu Dios con todo tu corazón, con toda tu alma y con toda tu mente. Ama a tu prójimo como a ti mismo".
(Mateo 22:37, 39)

After spending time with Jesus,
people came to know what
God's love was like.
Jesus made everyone feel
special.

How can you spend time
with Jesus?
Circle each thing you can do.

- Pray.
- Listen to a story about Jesus.
- Share Jesus' love with others.

Jesus taught the Great Commandment.

Commandments are laws
or rules given to us by God.
These laws help us to live
as God wants.
Jesus taught us the Great
Commandment.

Jesus said,
"You shall love the Lord,
your God, with all your
heart, with all your soul,
and with all your mind.
You shall love your neighbor
as yourself." (Matthew 22:37, 39)

Cuando cumplimos este mandamiento, amamos a Dios, a nosotros mismos y a los demás.

Mostramos amor a Dios cuando:

- hacemos lo que Dios quiere
- rezamos todos los días.

Di una forma en la que puedes mostrar tu amor a Dios.

Jesús nos enseñó a amar a Dios, a nosotros mismos y a los demás.

Cuando aprendemos sobre las enseñanzas de Jesús, aprendemos sobre el amor. Mostramos a Dios que nos amamos cuando cuidamos de nosotros mismos.

Jesús se preocupó por todo el mundo. El escuchó sus problemas. El quiere que actuemos como él. Hacemos esto cuando amamos a Dios, a nosotros mismos y a los demás.

Colorea la estrella al lado de cada dibujo que muestra a personas actuando como Jesús actuó.

Como católicos...

Cuando despertamos en la mañana podemos rezar. Esto dice a Dios lo importante que él es para nosotros. Hay oraciones especiales que decimos para ofrecer a Dios todo nuestro día. Estas son oraciones de la mañana. Con tus propias palabras haz una oración de la mañana.

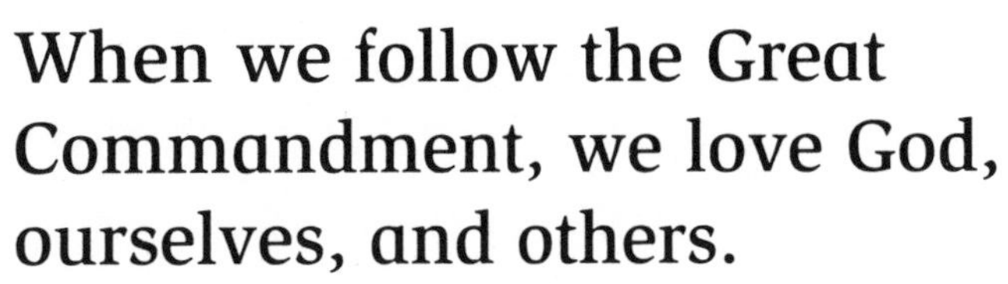

When we follow the Great Commandment, we love God, ourselves, and others.

We show God our love when we

- do what God wants us to do
- pray to God everyday.

Tell one way you can show your love for God.

Jesus taught us to love God, ourselves, and others.

When we learn about Jesus' teaching, we learn about love. We show God we love ourselves when we take care of ourselves.

Jesus cared for all people. He listened to people's problems. He wants us to act as he acted. We do this when we love God, ourselves, and others.

Color the star beside the pictures that show people acting as Jesus did.

As Catholics...

When we wake up in the morning, we can pray to God. This shows how important God is to us. There are special prayers we say to offer God our whole day. We call these prayers morning offerings. Use your own words to pray a morning offering.

Jesús nos enseñó que todo el mundo es nuestro prójimo.

Después que Jesús enseñó el Gran Mandamiento, alguien le preguntó quién era nuestro prójimo. Jesús contestó contando esta historia.

 Lucas 10:30–35

Lee conmigo

Un día un hombre caminaba por la calle. Unos ladrones le robaron su dinero y lo dejaron al lado del camino. Un sacerdote pasó de largo sin mirar al herido. Después otro líder religioso pasó y lo vio, pero siguió su camino. Finalmente, un hombre de Samaria se detuvo y lo ayudó. Untó aceite en sus heridas y lo cubrió con gasa. Después lo llevó a una posada.

Al día siguiente el samaritano tenía que irse. El le dio unas monedas al posadero y le dijo: "Cuide a este hombre, y si gasta usted algo más, yo se lo pagaré cuando vuelva". (Lucas 10:35)

Un buen prójimo es como el buen samaritano. El cuidó y ayudó al hombre herido.

Jesús contó esta historia para ayudarnos a entender que:

- todo el mundo es nuestro prójimo
- debemos ser buen samaritano para todos los demás.

RESPONDEMOS

¿Cómo vas a ser un buen prójimo en tu parroquia o tu vecindario esta semana?

Ponte de pie y da la mano a los que están a tu alrededor.

Vocabulario

mandamientos son leyes o reglas que Dios nos dio

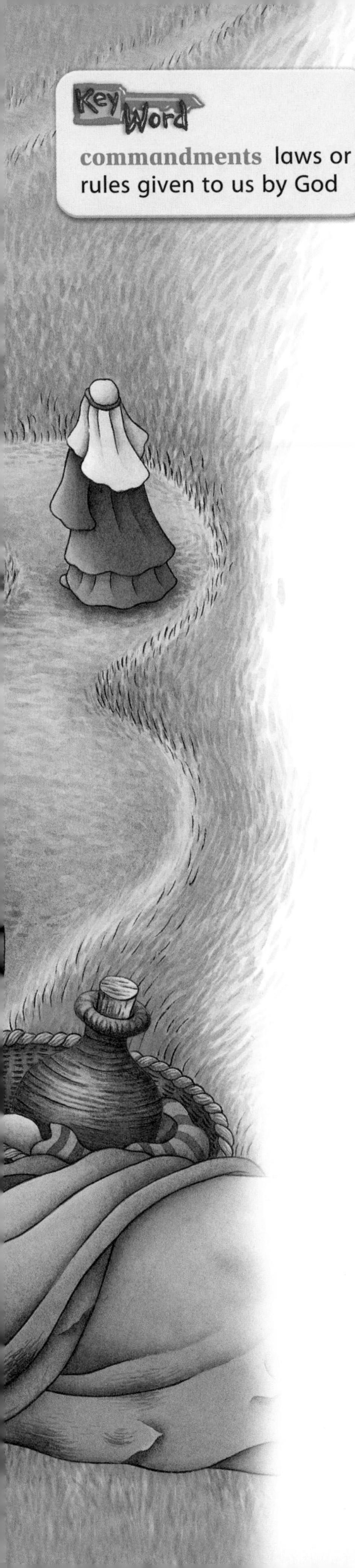

Key Word

commandments laws or rules given to us by God

Jesus taught us that all people are our neighbors.

After Jesus taught the Great Commandment, someone asked who our neighbors are.
Jesus answered by telling this story.

 Luke 10:30–35

Read Along

One day a man was walking down the road. Robbers hurt him and took his money. They left him on the side of the road. A priest walked by the person who was hurt. Then another religious leader passed and saw him. But he kept walking. Finally, a man from the country called Samaria stopped. He rubbed oil on the man's cuts and covered them with bandages. Then he brought the man to an inn.

The next day the Samaritan had to leave. He said to the innkeeper, "Take care of him. If you spend more than what I have given you, I shall repay you on my way back." (Luke 10:35)

We call the good neighbor the good Samaritan. He cared for and helped the hurt man.

Jesus told this story to help us understand that:

- all people are our neighbors
- we are to be good neighbors to everyone.

WE RESPOND

How will you be a good neighbor in your school or neighborhood this week?

Stand and shake hands with those who are near you.

HACIENDO DISCÍPULOS

Muestra lo que sabes

¿Cuáles son las leyes o reglas que Dios nos ha dado?

____

____

¿Qué harás?

Sigue el camino que te acercará a Jesús.
Usa las señales fijadas para ayudarte.

PROJECT DISCIPLE

Show What you Know

What are the laws or rules given to us by God?

____

____

What Would you do?

Follow the path that will bring you closer to Jesus. Use the sign posts to help you.

HACIENDO DISCÍPULOS

Puedes ser un buen prójimo. Encierra en un círculo algo en cada columna y hazlo hoy.

¿A quién ayudarás?	¿Cómo lo harás?
A un compañero	Seré amable
A un familiar	Compartiré historias sobre Jesús
A alguien de la parroquia	Le enseñaré a rezar

RETO PARA EL DISCIPULO ¿Cómo muestran los miembros de la familia en el dibujo su amor por Dios y por ellos?

Jesús nos enseñó que todos somos prójimos. Podemos mostrar nuestro amor a nuestro prójimo. Junto con tu familia aprendan más sobre los vecinos que son o viven en otros países.

PROJECT DISCIPLE

Make it Happen

Be a good neighbor. Circle one item from each column and do it today.

Who will you help?	What will you do?
A classmate	Be kind
A family member	Share a story about Jesus
Someone you know in your parish	Teach him or her a prayer

DISCIPLE CHALLENGE How are the family members in the picture showing their love for God and one another?

Take Home

Jesus taught us that we are all neighbors. We can show love for our neighbors. With your family, learn more about your neighbors who are from or living in other countries.

El año litúrgico

Adviento | Navidad | Tiempo Ordinario | Cuaresma | Tres Días | Tiempo de Pascua | Tiempo Ordinario

Alabado seas tú, Señor Jesús.

La Iglesia alaba a Jesús todo el año.

NOS CONGREGAMOS

¿Qué significa para ti la palabra *alabar*?

CREEMOS

Durante todo el año la Iglesia se reúne para dar gracias a Dios por su gran amor. Juntos, alabamos a Dios. Celebramos todo lo que Jesús hizo por nosotros.

The Church Year

Advent | Christmas | Ordinary Time | Lent | Three Days | Easter | Ordinary Time

Praise to you, Lord Jesus Christ.

The Church praises Jesus all year long.

WE GATHER

What does the word *praise* mean to you?

WE BELIEVE

All year long the Church
gathers to thank God for
his great love.
Together, we praise God.
We celebrate all that Jesus
did for us.

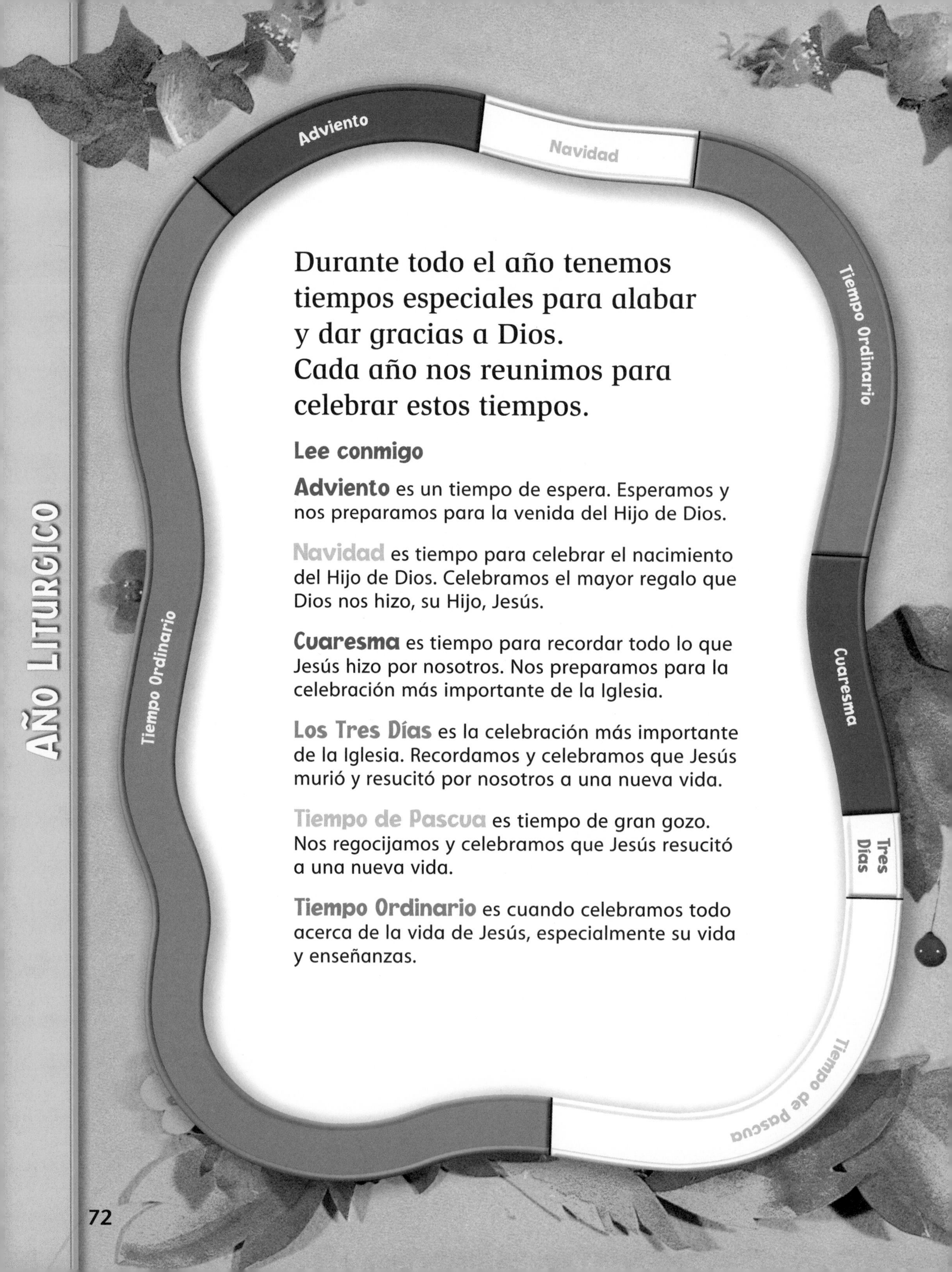

Año Litúrgico

Durante todo el año tenemos tiempos especiales para alabar y dar gracias a Dios. Cada año nos reunimos para celebrar estos tiempos.

Lee conmigo

Adviento es un tiempo de espera. Esperamos y nos preparamos para la venida del Hijo de Dios.

Navidad es tiempo para celebrar el nacimiento del Hijo de Dios. Celebramos el mayor regalo que Dios nos hizo, su Hijo, Jesús.

Cuaresma es tiempo para recordar todo lo que Jesús hizo por nosotros. Nos preparamos para la celebración más importante de la Iglesia.

Los Tres Días es la celebración más importante de la Iglesia. Recordamos y celebramos que Jesús murió y resucitó por nosotros a una nueva vida.

Tiempo de Pascua es tiempo de gran gozo. Nos regocijamos y celebramos que Jesús resucitó a una nueva vida.

Tiempo Ordinario es cuando celebramos todo acerca de la vida de Jesús, especialmente su vida y enseñanzas.

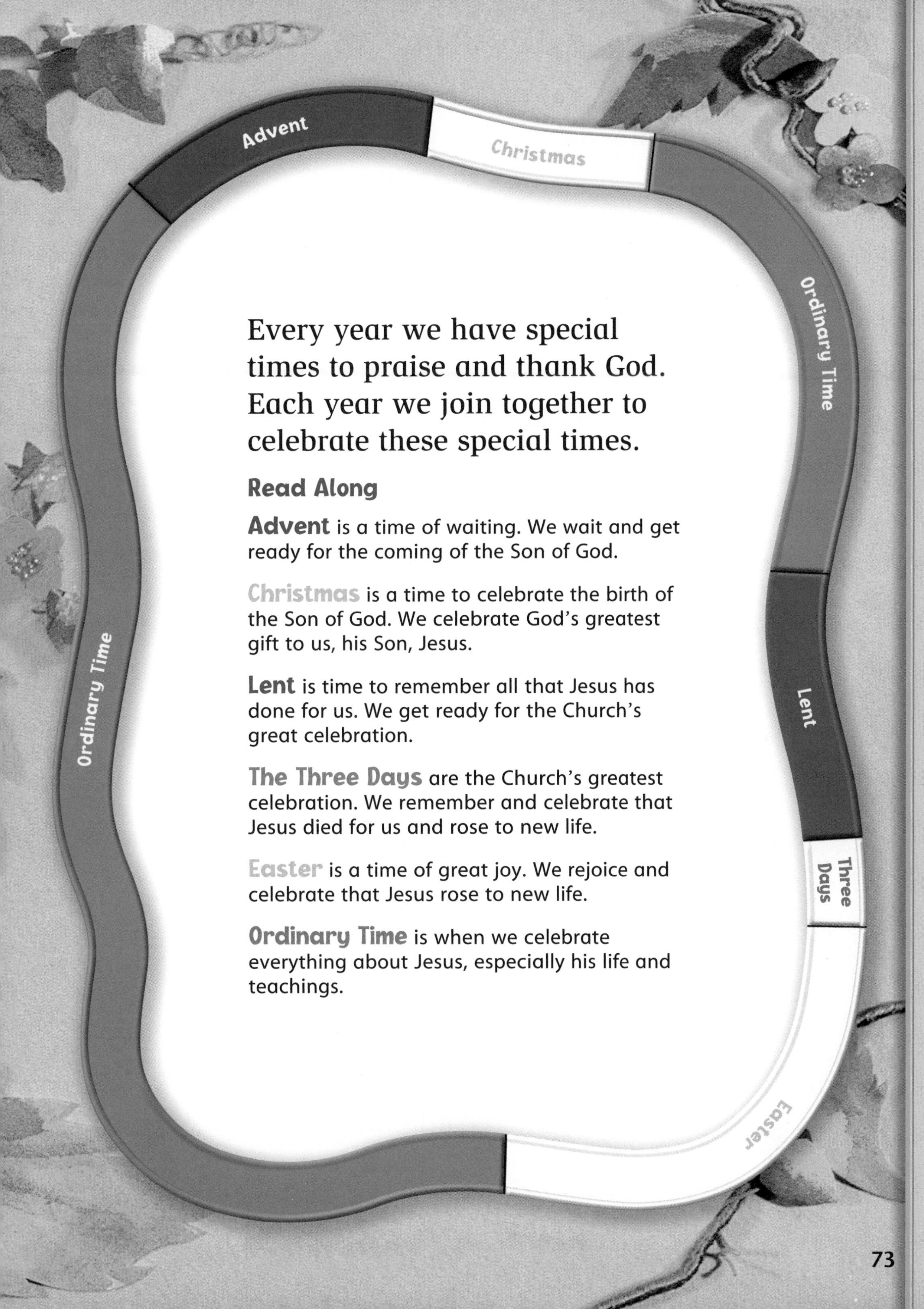

Every year we have special times to praise and thank God. Each year we join together to celebrate these special times.

Read Along

Advent is a time of waiting. We wait and get ready for the coming of the Son of God.

Christmas is a time to celebrate the birth of the Son of God. We celebrate God's greatest gift to us, his Son, Jesus.

Lent is time to remember all that Jesus has done for us. We get ready for the Church's great celebration.

The Three Days are the Church's greatest celebration. We remember and celebrate that Jesus died for us and rose to new life.

Easter is a time of great joy. We rejoice and celebrate that Jesus rose to new life.

Ordinary Time is when we celebrate everything about Jesus, especially his life and teachings.

El año de la Iglesia nos ayuda a seguir a Jesús. Los diferentes tiempos nos ayudan a recordar y a celebrar todo lo que Jesús hizo por nosotros. Los tiempos nos ayudan a recordar que Jesús está con nosotros hoy.

Durante todo el año damos gracias a Jesús por el regalo de sí mismo. Le damos gracias por estar siempre con nosotros.

RESPONDEMOS

Dibuja algo por lo que estás agradecido de Jesús.

Respondemos en oración

Líder: Durante el año de la Iglesia celebramos y recordamos que Jesús está con nosotros siempre.

Todos: Alabado sea el nombre de Jesús.

The Church year helps us to follow Jesus. The different times help us remember and celebrate all that Jesus did for us. The times also help us remember that Jesus is with us today!

All during the year we thank Jesus for the gift of himself. We thank him for being with us always.

WE RESPOND

Draw something for which you are thankful to Jesus.

We Respond in Prayer

Leader: During the Church year we remember Jesus and celebrate that he is with us all the time.

All: Praised be the name of Jesus!

HACIENDO DISCIPULOS

Lee y adivina la rima sobre un tiempo especial en el año litúrgico.

Soy tiempo de gran gozo.
Mi color es el dorado.
Celebro que Jesús ha resucitado.
¿Qué tiempo especial soy?

____

____

Ahora, escribe tu propia rima sobre otro tiempo especial del año litúrgico. Pide a un compañero adivinar la respuesta.

____

____

____

____

Tarea

Mira si un miembro de tu familia puede adivinar la rima que escribiste. Pídele que escriba una.

RETO PARA EL DISCIPULO
Con tu familia escriban adivinanzas para cada uno de los tiempos especiales del tiempo litúrgico.

PROJECT DISCIPLE

Read and guess this riddle about a special time of the Church year.

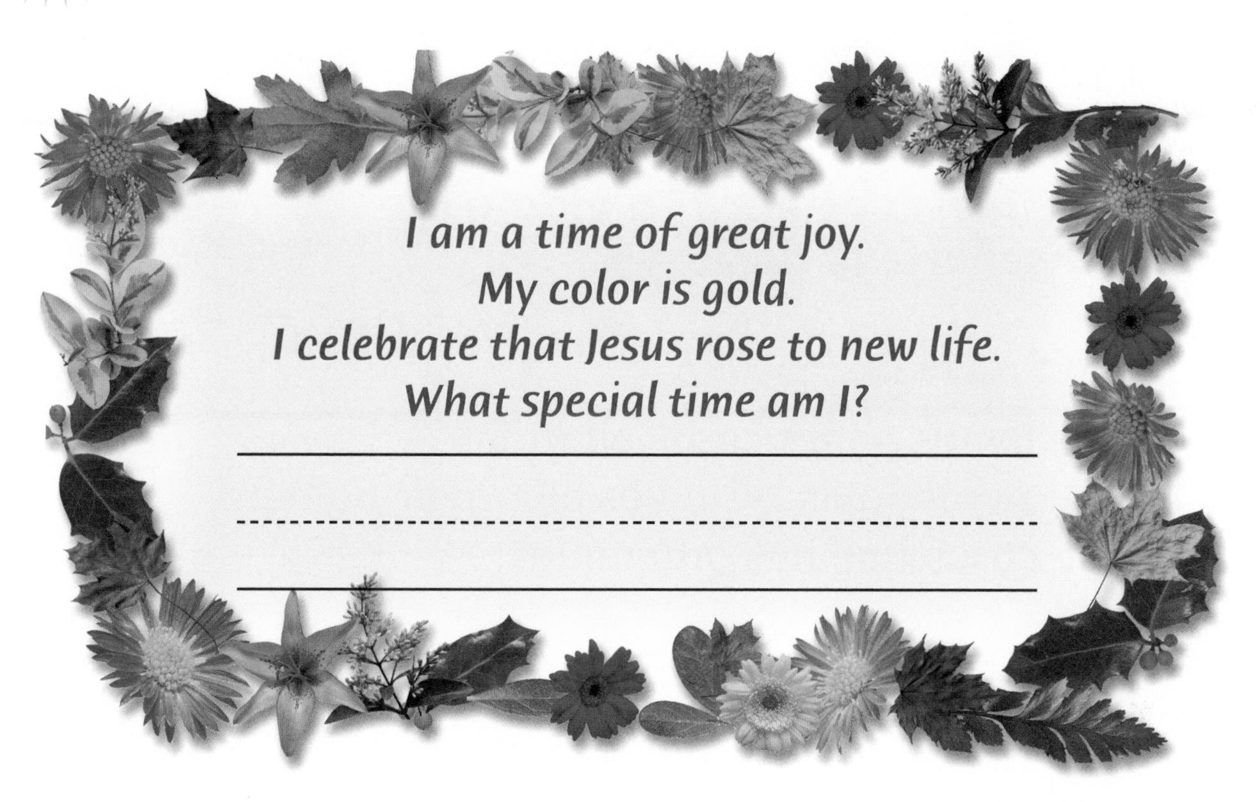

Now, write your own riddle about a different special time of the Church year. Ask a classmate to guess the answer.

Take Home

See if your family members can guess the riddle you have written. Ask them to write one too!

DISCIPLE CHALLENGE With your family, write riddles for each special time of the Church year.

Tiempo Ordinario

La Iglesia celebra la vida y las enseñanzas de Jesús.

NOS CONGREGAMOS

Podemos poner cosas en orden numerándolas. ¿Cuál es el mayor número de cosas que has ordenado?

CREEMOS

La Iglesia tiene tiempos especiales para celebrar. Durante el Tiempo Ordinario celebramos la vida y las enseñanzas de Jesús. Tratamos de seguirlo más de cerca cada día. Este tiempo es llamado Tiempo Ordinario porque la Iglesia pone los domingos en *orden* numérico.

Demos gracias al Señor,
su amor es eterno.

The Church celebrates the life and teachings of Jesus.

WE GATHER

We can put things in order by numbering them. What is the biggest number of things that you have put in order?

WE BELIEVE

The Church has special times to celebrate. During Ordinary Time, we celebrate the life and teachings of Jesus. We try to follow him more closely each day. This season is called Ordinary Time because the Church puts the Sundays in number *order*.

Give thanks to the Lord,
his love is everlasting.

Cada domingo del año es un día especial. Todos los domingos celebramos la misa. Recordamos las cosas que Jesús hizo por nosotros. Damos gracias a Jesús por el regalo de sí mismo.

Escuchamos maravillosas historias sobre:

- la enseñanza, sanación y perdón de Jesús
- los primeros seguidores de Jesús
- la ayuda del Espíritu Santo a los primeros miembros de la Iglesia.

Mira los dibujos en estas páginas. ¿Cuál muestra a Jesús enseñando? ¿Cuál lo muestra sanando? ¿Cuál nos dice algo sobre los primeros seguidores de Jesús?

Comparte tus respuestas.

Every Sunday of the year is a special day. Every Sunday we celebrate the Mass. We remember the things Jesus has done for us. We thank Jesus for the gift of himself.

We hear wonderful stories about

- Jesus' teaching, healing, and forgiving
- the first followers of Jesus
- the Holy Spirit helping the first members of the Church.

Look at the pictures on these pages. Which one shows Jesus teaching? Which one shows him healing? Which one tells us something about the first followers of Jesus?

Share your answers.

Los santos son seguidores de Jesús, quienes lo amaron mucho. Los santos murieron, pero ahora viven por siempre con Dios. Las vidas de los santos nos muestran como ser seguidores de Jesús.

Celebramos muchos días especiales durante el Tiempo Ordinario. Uno de ellos es llamado Día de Todos los Santos. Es celebrado el 1 de noviembre.

Respondemos

Escribe una forma en que muestras que sigues a Jesús.

Respondemos en oración

Líder: Somos hijos de Dios. En el día de Todos los Santos celebramos a todos los hijos de Dios que están viviendo con Dios por siempre. Ellos son llamados santos.

Lector: Escuchemos la palabra de Dios. "Dichosos los que procuran la paz, pues Dios los llamará hijos suyos".
(Mateo 5:9)

Palabra del Señor.

Todos: Gloria a ti, Señor Jesús.

Saints are followers of Jesus who loved him very much. The saints have died, but they now live forever with God. The lives of the saints show us how to be followers of Jesus.

We celebrate many special days during Ordinary Time. One of them is called All Saints' Day. It is celebrated on November 1.

WE RESPOND

Write one way you are a follower of Jesus.

____

We Respond in Prayer

Leader: We are all children of God. On All Saints' Day, we celebrate all the children of God who are living forever with God. They are called saints.

Reader: Let us listen to the Word of God.
"Blessed are the peacemakers,
for they will be called children
of God." (Matthew 5:9)

The Gospel of the Lord.

All: Praise to you, Lord Jesus Christ.

HACIENDO DISCÍPULOS

Traza este mensaje especial.
Decora la bandera.

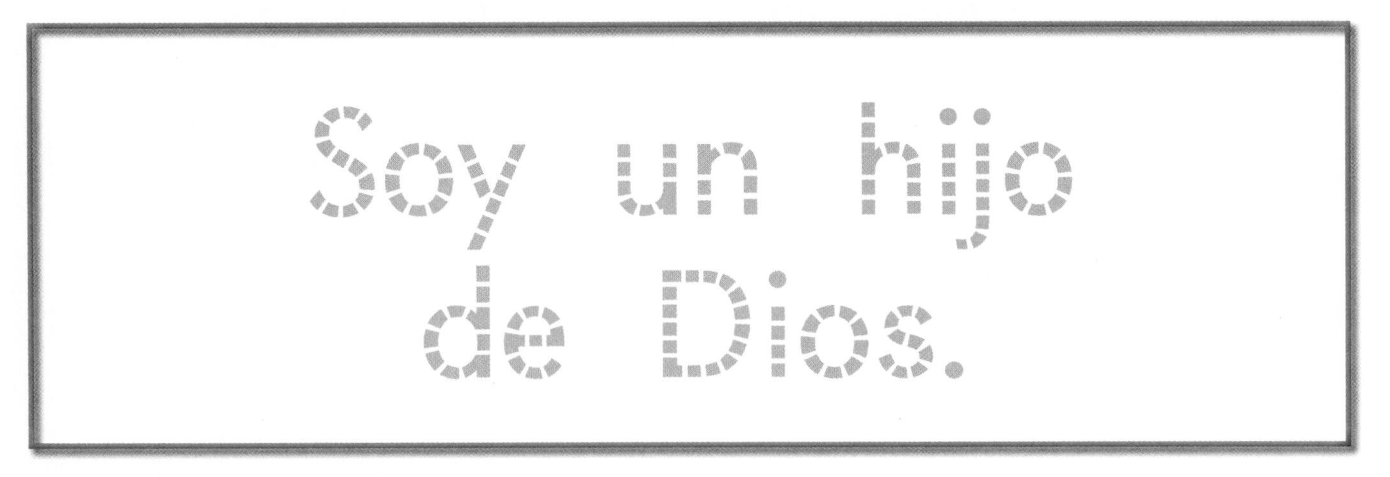

Escritura

Jesús dijo: "Amense los unos a los otros, como yo los he amado". (Juan 15:12)

Pon un ✔ en las formas en que Jesús mostró su amor.

- ❑ Enseñando
- ❑ Sanando
- ❑ Perdonando
- ❑ Ayudando

En familia conversen sobre formas de seguir a Jesús todos los días. Escríbanlas aquí.

Seguiremos a Jesús todos los días

____

____

PROJECT DISCIPLE

Trace this special message!
Decorate the banner.

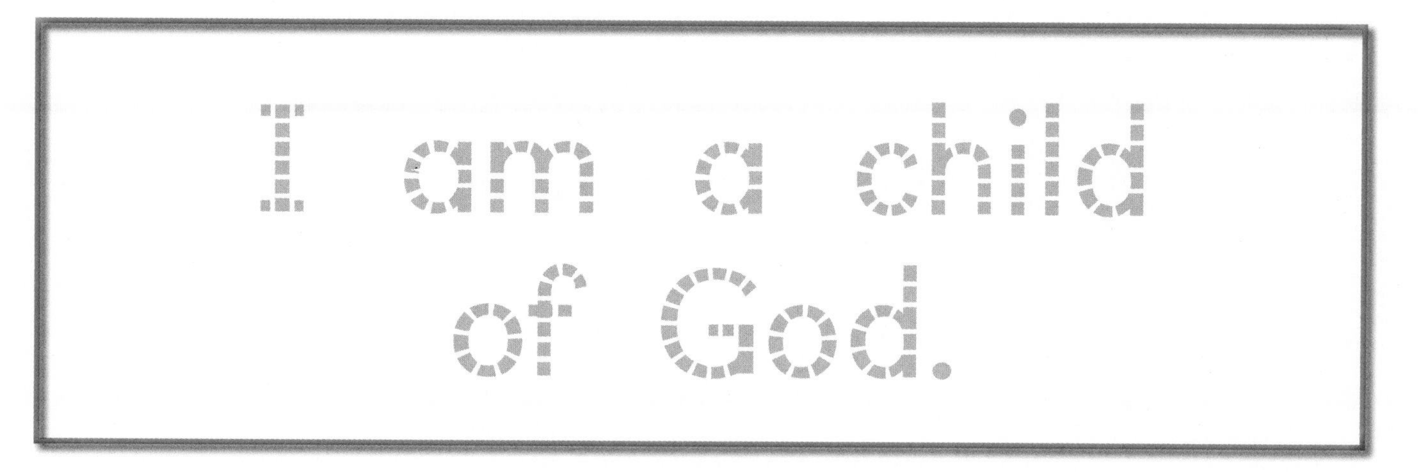

What's the Word?

Jesus said, "Love one another as I love you" (John 15:12).

Check the ways Jesus showed his love.

- ❑ Teaching
- ❑ Healing
- ❑ Forgiving
- ❑ Helping

Take Home

As a family, talk about ways you follow Jesus everyday. Write them below.

Everyday, we follow Jesus by

____

____

Jesús tuvo muchos seguidores

NOS CONGREGAMOS

✝ Vamos a rezar cantando.

♫ Jesús nos quiere ayudar

Jesús quiere ayudarnos.
Creemos que Jesús quiere ayudarnos.

Cuando rezamos él quiere escucharnos.
Cuando rezamos él quiere escucharnos.
Creemos que Jesús quiere escucharnos.

¿Cómo te sientes cuando un amigo te hace una invitación especial?

CREEMOS

Jesús invitó a la gente a seguirle.

Jesús invitó a toda la gente a estar con él.
Jesús les invitaba a ser sus seguidores.

Mateo 4:18–20

Lee conmigo

Un día Jesús caminaba a la orilla del mar. El vio a dos hermanos pescadores. Sus nombres eran Pedro y Andrés. Jesús los invitó a seguirlo. “Al momento dejaron sus redes y se fueron con él”. (Mateo 4:20)

Jesus Had Many Followers

WE GATHER

✝ Let us pray by singing.

♫ **Jesus Wants to Help Us**

We believe Jesus wants to help us.
We believe Jesus wants to help us.
We believe that Jesus always wants to help us.

When we pray, Jesus wants to hear us.
When we pray, Jesus wants to hear us.
We believe that Jesus always wants to hear us.

How do you feel when you get a special invitation from a friend?

WE BELIEVE

Jesus invited people to be his followers.

Jesus invited people to come and be with him. He asked people to be his followers.

Matthew 4:18–20

Read Along

One day Jesus was walking by the sea. He saw two brothers fishing. Their names were Peter and Andrew. Jesus invited Peter and Andrew to be his followers. "At once they left their nets and followed him." (Matthew 4:20)

Los seguidores de Jesús aprendieron de él. Trataron de actuar como Jesús. Ellos también compartieron el amor de Dios con otros.

Jesús tuvo muchos seguidores. Los **apóstoles** fueron doce hombres escogidos por Jesús para seguirlo.

Jesús te invita a que también lo sigas. Si quieres seguir a Jesús escribe tu nombre aquí.

____

Los seguidores de Jesús creyeron que él era el Hijo de Dios.

Jesús pasó mucho tiempo con sus seguidores. Ellos confiaron mucho en Jesús.

He aquí una historia en que Jesús ayudó a sus seguidores.

Lucas 8:22–25

Lee conmigo

Un día Jesús estaba en un bote con sus seguidores. El se quedó dormido. De repente una tormenta empezó a mecer el bote. Los seguidores de Jesús tuvieron miedo. Ellos lo despertaron. Ellos creyeron que él podía ayudarlos.

Jesús dijo al viento y a las olas que se aquietaran. Los seguidores de Jesús quedaron sorprendidos porque la tormenta se paró. Ellos preguntaron: "¿Quién será este, que da órdenes al viento y al agua, y le obedecen?" (Lucas 8:25)

Jesus' followers learned from him.
They tried to act as Jesus did.
They shared God's love with others, too.

Jesus had many followers.
The **Apostles** were the twelve men Jesus chose to lead his followers.

Jesus invites you to be his follower, too. If you want to be a follower of Jesus, write your name here.

____

Jesus' followers believed that he was the Son of God.

Jesus spent a lot of time with his followers. They trusted Jesus very much.

Here is a story about a time when Jesus helped his followers.

Luke 8:22–25

Read Along

One day Jesus was in a boat with his followers. He fell asleep. Soon a storm started rocking the boat. Jesus' followers were afraid. They woke Jesus up. They believed he would help them.

Jesus told the winds and waves to be still. Jesus' followers were amazed because the storm stopped. They asked, "Who then is this, who commands even the winds and the sea, and they obey him?" (Luke 8:25)

Jesús hizo muchas cosas que asombraban a la gente.
El hizo muchas cosas que sólo Dios puede hacer.
Los seguidores vieron estas cosas y creyeron en él.
Ellos creyeron que Jesús era el Hijo de Dios.

Dramatiza lo que hubieras dicho a Jesús después de que él calmó la tormenta.

Jesús enseñó a sus seguidores a rezar.

Jesús con frecuencia rezó a Dios el Padre.
Algunas veces Jesús rezó solo.
Otras, rezó con las personas.

Los seguidores de Jesús aprendieron a rezar mirándolo a él.
También aprendieron a rezar escuchando a Jesús.

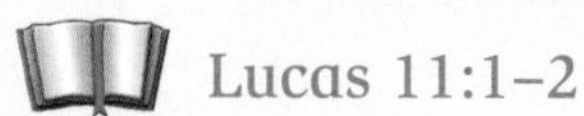

Lucas 11:1–2

Lee conmigo

Un día Jesús fue a orar. Cuando terminó, uno de sus seguidores le pidió que enseñara al grupo a orar. Jesús les dijo: "Padre, santificado sea tu nombre". (Lucas 11:2)

Llamamos a esta oración que Jesús enseñó a sus seguidores el **Padrenuestro**.

Como católicos...

Señor es otro nombre para Dios. Los seguidores de Jesús lo llamaban Señor. Usamos este nombre en muchas de nuestras oraciones. Cuando lo hacemos, recordamos que Jesús es el Hijo de Dios. Durante la misa los domingos, escucha las veces que decimos, "Señor".

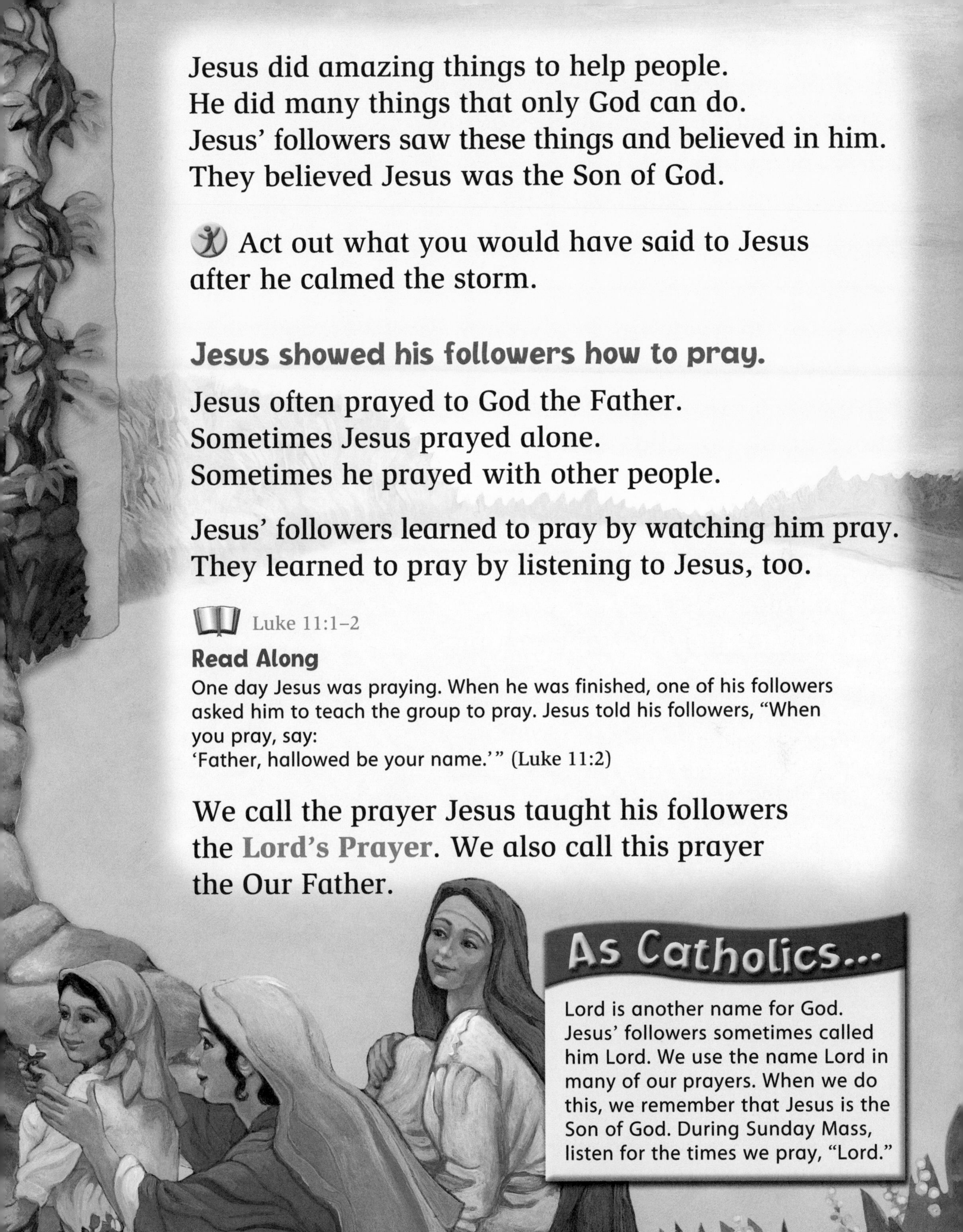

Jesus did amazing things to help people.
He did many things that only God can do.
Jesus' followers saw these things and believed in him.
They believed Jesus was the Son of God.

Act out what you would have said to Jesus after he calmed the storm.

Jesus showed his followers how to pray.

Jesus often prayed to God the Father.
Sometimes Jesus prayed alone.
Sometimes he prayed with other people.

Jesus' followers learned to pray by watching him pray.
They learned to pray by listening to Jesus, too.

Luke 11:1–2

Read Along

One day Jesus was praying. When he was finished, one of his followers asked him to teach the group to pray. Jesus told his followers, "When you pray, say:
'Father, hallowed be your name.'" (Luke 11:2)

We call the prayer Jesus taught his followers the **Lord's Prayer**. We also call this prayer the Our Father.

As Catholics...

Lord is another name for God. Jesus' followers sometimes called him Lord. We use the name Lord in many of our prayers. When we do this, we remember that Jesus is the Son of God. During Sunday Mass, listen for the times we pray, "Lord."

¿Por qué rezas? ¿Quién te enseña a rezar? Escribe dos nombres aquí.

Agradece a estas personas y haz una oración por ellas.

Vocabulario

apóstoles doce hombres escogidos por Jesús para seguirlo

Padrenuestro la oración que Jesús enseñó a sus seguidores

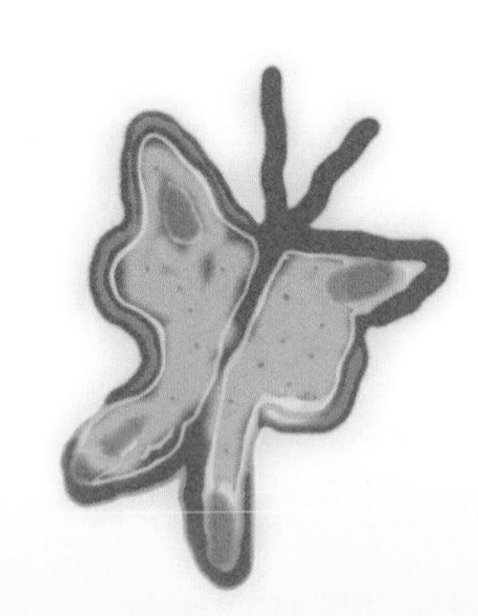

Rezamos el Padrenuestro.

Podemos rezar el Padrenuestro con otros o solos.
Estas son las palabras que rezamos.

Padrenuestro
Padre nuestro, que estás en el cielo,
santificado sea tu nombre;
venga a nosotros tu reino;
hágase tu voluntad en la tierra como en el cielo.
Danos hoy nuestro pan de cada día;
perdona nuestras ofensas,
como también nosotros perdonamos a los que nos ofenden;
no nos dejes caer en la tentación,
y líbranos del mal.
Amén.

RESPONDEMOS

Reúnanse en un círculo.
Recen juntos el Padrenuestro.

Why do you pray? Who teaches you to pray? Write two names here.

____

____

____

Thank these people and say a prayer for them.

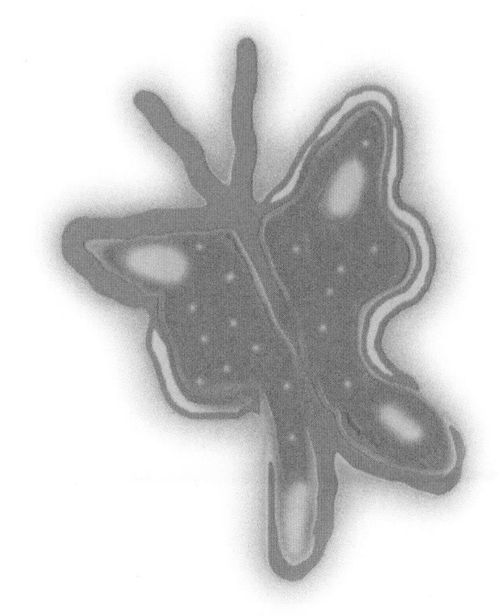

We pray the Lord's Prayer.

We can pray the Lord's Prayer with others or by ourselves.
Here are the words we pray.

Apostles the twelve men Jesus chose to lead his followers

Lord's Prayer the prayer Jesus taught his followers

The Lord's Prayer

Our Father, who art in heaven,
hallowed be thy name;
thy kingdom come;
thy will be done on earth as it is in heaven.
Give us this day our daily bread;
and forgive us our trespasses
as we forgive those who trespass against us;
and lead us not into temptation,
but deliver us from evil.
Amen.

Gather in a circle.
Pray the Lord's Prayer together.

HACIENDO DISCÍPULOS

apóstoles

Padrenuestro

Muestra lo que sabes

Escribe la palabra del Vocabulario que contesta cada pregunta.

¿Cuál fue la oración que Jesús enseñó a sus seguidores?

¿Quiénes fueron los doce hombres que escogió Jesús para guiar a sus seguidores?

Reza

Muchos pescadores en Francia rezan esta oración. Esto muestra su confianza en Dios.

Dios de amor,
ayúdame.
El mar es muy grande,
y mi bote muy pequeño.
(Traducción libre)

PROJECT DISCIPLE

Show What you Know

Apostles

Lord's Prayer

Write the Key Words that answers each question.

What is the prayer Jesus taught his followers?

____

Who are the twelve men Jesus chose to lead his followers?

____

Many fishermen in France pray this prayer. It shows they trust God.

Dear God,
be good to me.
The sea is so wide,
and my boat is so small.
(Fishers of Brittany, France)

HACIENDO DISCÍPULOS

Escritura

Jesús nos enseñó a rezar el Padrenuestro. Una parte de esta oración es "Danos hoy nuestro pan de cada día". Cuando rezamos esas palabras estamos rezando por las necesidades de todos. Dibuja algunas cosas que la gente necesita hoy.

Hazlo

Termina el mensaje a Jesús.
Como tu amigo y seguidor puedo

- ❑ compartir mis juguetes.
- ❑ poner atención en la escuela.
- ❑ decir mis oraciones.
- ❑ ayudar a mi amigo.
- ❑ ______________________
(escribe tu idea)

Tarea

Comparte historias sobre Jesús que aprendiste esta semana. Reza el Padrenuestro con tu familia. Conversen sobre el significado de las palabras.

PROJECT DISCIPLE

What's the Word?

Jesus taught us to pray the Lord's Prayer. Part of this prayer is, "Give us this day our daily bread." When we pray these words, we are praying for the needs of all people. Draw some things that people need today.

Make it Happen

Finish this message to Jesus.
As your friend and follower, I can

- ❑ share my toys.
- ❑ pay attention in school.
- ❑ say my prayers.
- ❑ help a friend.
- ❑ ____________________
(your own way)

Take Home

Share the stories about Jesus you have learned this week. Pray the Lord's Prayer together as a family. Talk about what the words mean.

Jesús murió y resucitó a una nueva vida

NOS CONGREGAMOS

✝ **Líder:** Jesús, hoy nos reunimos para rezarte.

Todos: Jesús, creemos en ti.

Líder: Jesús, queremos seguirte.

Todos: Jesús, ayúdanos a ser tus seguidores.

¿Has tenido alguna vez un guía en una excursión? ¿Qué hizo?

CREEMOS

Jesús dijo a sus seguidores que él los amaba y los cuidaba.

Jesús quería que sus seguidores entendieran lo que él enseñaba. El habló de cosas que ellos sabían.

Juan 10:2, 14

Lee conmigo

Un día Jesús estaba hablando sobre pastores. El dijo: "Yo soy el buen pastor. Conozco a mis ovejas y ellas me conocen a mí". (Juan 10:14)

Jesús es nuestro Buen Pastor. El está siempre con nosotros.

Jesus Died and Rose to New Life

WE GATHER

✝ **Leader:** Jesus, today we gather together to pray to you.

All: Jesus, we believe in you.

Leader: Jesus, we want to follow you.

All: Jesus, help us to be your followers.

Have you ever had a guide on a trip? What did the guide do?

WE BELIEVE

Jesus told his followers that he loved and cared for them.

Jesus wanted his followers to understand what he was teaching. He talked about things they knew about.

John 10:2, 14

Read Along

One day Jesus was talking about shepherds. He said, "I am the good shepherd, and I know mine and mine know me." (John 10:14)

Jesus is our Good Shepherd. He is with us always.

El nos conoce y nos ama a cada uno. El nos muestra la forma de amar a Dios y a los demás.

Traza el camino que muestra formas de amar a Dios y a los demás.

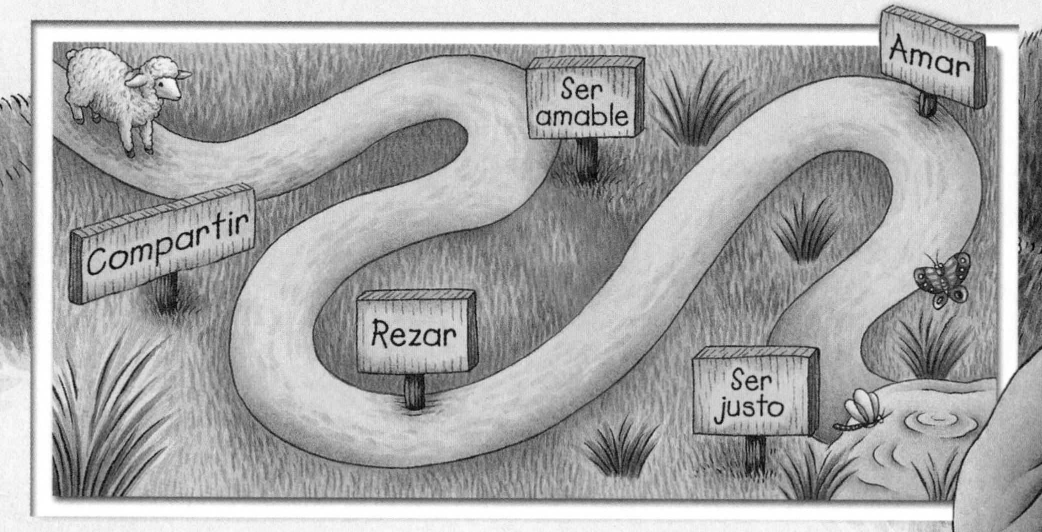

Muchas personas se reunieron para dar la bienvenida y alabar a Jesús.

Jesús visitó muchos pueblos. La gente le daba la bienvenida de diferentes formas. Algunos empezaron a creer que Jesús había sido enviado por Dios.

 Juan 12:12–13

Lee conmigo

Mucha gente fue a Jerusalén para la fiesta. Ellos escucharon que Jesús estaba cerca de la ciudad, así que corrieron a buscarlo. Tomaron hojas de palma y las agitaron al aire. Ellos gritaban: "Hosanna". (Juan 12:13)

Hosanna es una palabra de alabanza. El pueblo estaba feliz de ver a Jesús.

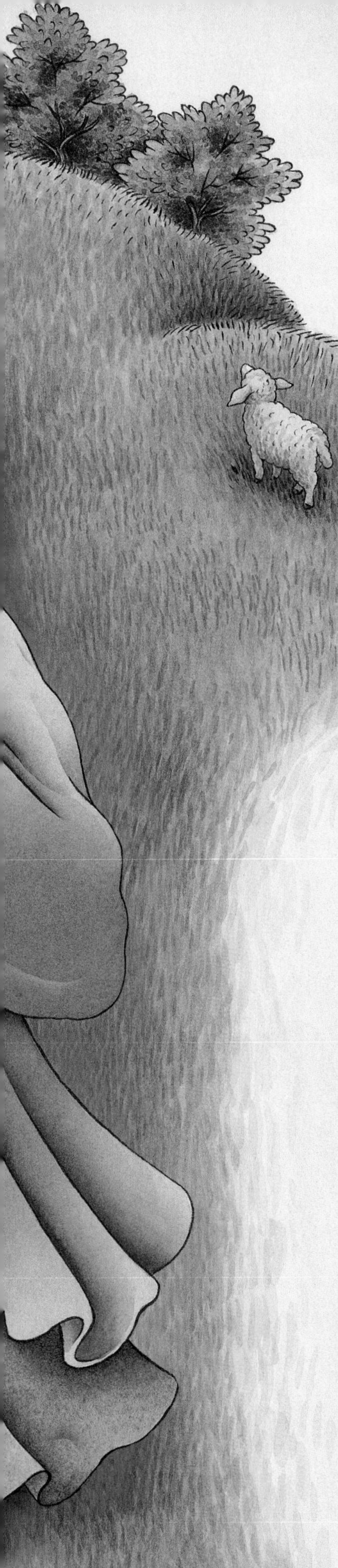

Jesus knows and loves each one of us.
He shows us ways to love God and others.

Trace the path that shows ways to love God and others.

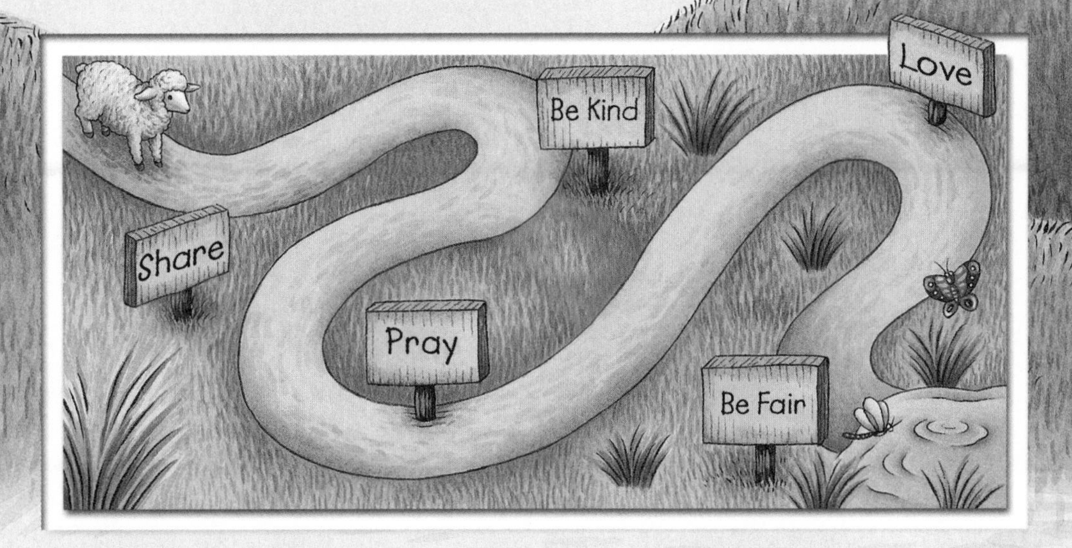

Many people gathered to welcome and praise Jesus.

Jesus visited many towns. People welcomed him in different ways. Some began to believe that Jesus was sent by God.

 John 12:12–13

Read Along

Many people were in Jerusalem for a feast. They heard that Jesus was near the city, so they ran out to meet him. They waved palm branches in the air. They shouted, "Hosanna!" (John 12:13)

Hosanna is a word of praise.
The people were happy to see Jesus.

Ellos gritaron hosanna para alabarlo.
Ellos agitaron ramas de palma.

Muestra formas en que podemos alabar a Jesús.

Jesús enseñó en el Templo de Jerusalén.

Jerusalén es un ciudad importante para los judíos.
Van allá a celebrar fiestas especiales.
Ellos también van a rezar.

Jerusalén era también muy importante en los tiempos de Jesús.
Jesús fue a Jerusalén.
Ahí enseñó en el templo.

El **Templo** era un lugar santo en Jerusalén donde los judíos rezaban.

 Lucas 21:37–38

Lee conmigo

La semana antes de morir Jesús enseñó en el Templo todos los días. "Y toda la gente iba temprano al templo a oírle". (Lucas 21:38)

Habla del lugar adonde vas a rezar y a escuchar las enseñanzas de Jesús.

Como católicos...

En todas las misas rezamos hosanna. Rezamos las mismas palabras que las personas rezaron para dar la bienvenida a Jesús en Jerusalén. Mostramos que creemos que Jesús es el Hijo de Dios. La próxima vez que vayas a misa, alaba a Jesús por todo lo que ha hecho por nosotros.

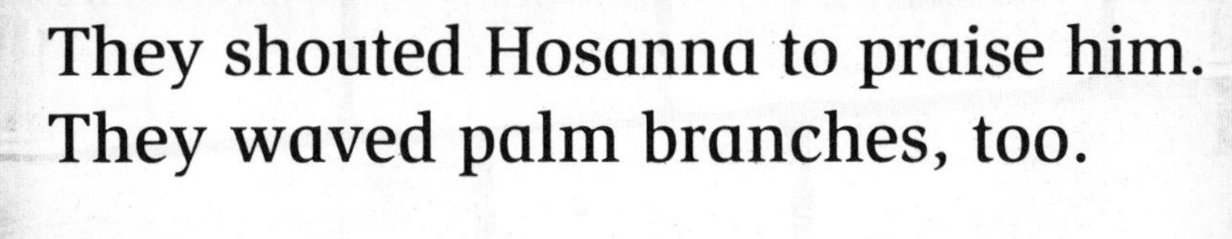

They shouted Hosanna to praise him.
They waved palm branches, too.

Show some ways we can praise Jesus.

As Catholics...

During every Mass we pray Hosanna. We pray the same words the people did when they welcomed Jesus to Jerusalem. We show that we believe Jesus is the Son of God. At Mass next week, praise Jesus for all he has done for us.

Jesus taught in the Temple in Jerusalem.

Jerusalem is an important city to Jews.
They go there for special feasts.
They go there to pray.

Jerusalem was very important in Jesus' time, too.
Jesus went to Jerusalem.
He taught in the Temple there.

The **Temple** was the holy place in Jerusalem where the Jewish People prayed.

 Luke 21:37–38

Read Along

During the week before Jesus died, he taught in the Temple area every day. "And all the people would get up early each morning to listen to him." (Luke 21:38)

Talk about where you go to pray and listen to Jesus' teachings.

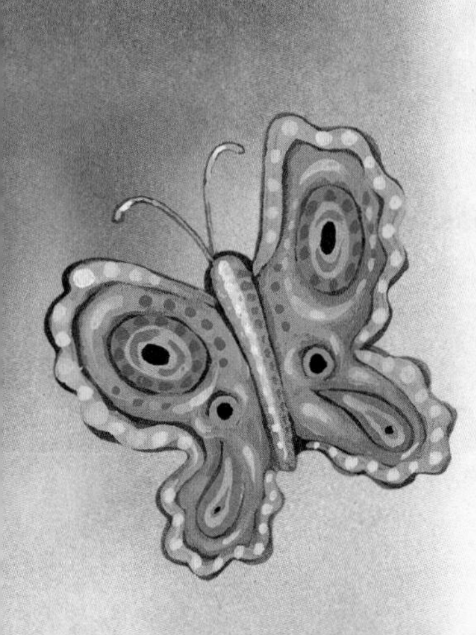

Jesús murió y resucitó.

Jesús se preocupaba por la gente. El compartió el amor de Dios con ellos. Jesús mostró su amor en forma especial. Jesús murió para que todo el mundo pudiera vivir el amor de Dios. Cuando murió su cuerpo fue puesto en una tumba. Al tercer día después de su muerte, algo maravilloso pasó.

Templo lugar santo en Jerusalén donde los judíos rezaban

Domingo de Resurrección el día especial cuando celebramos que Jesucristo resucitó a una nueva vida

 Mateo 28:1–7

Lee conmigo

Temprano en la mañana del domingo, algunas mujeres fueron a visitar la tumba de Jesús. Ellas vieron a un ángel sentado en la puerta de la tumba. El ángel les dijo: "No tengan miedo" (Mateo 28:5). El ángel les dijo que Jesús había resucitado a una nueva vida. El les dijo que fueran a contarlo a los otros seguidores.

Aleluya

Aleluya

Jesús murió y resucitó para traernos nueva vida. **Domingo de Resurrección** es el día especial cuando celebramos que Jesucristo resucitó a una nueva vida.

Rezamos aleluya, una palabra de alabanza.

RESPONDEMOS

¿Cómo celebra tu familia el Domingo de Resurrección?

Celebra lo que Jesús hizo por nosotros. Colorea el jardín aleluya.

Jesus died and rose.

Jesus cared for people.
He shared God's love with them.
Jesus showed his love in a special way.

Jesus died so that all people could live in God's love.
After he died his body was placed in a tomb.
On the third day after Jesus died, something wonderful happened.

Temple the holy place in Jerusalem where the Jewish People prayed

Easter Sunday the special day we celebrate that Jesus Christ rose to new life

 Matthew 28:1–7

Read Along

Early on Sunday morning, some women went to visit Jesus' tomb.
They saw an angel sitting in front of the tomb. The angel said,
"Do not be afraid!" (Matthew 28:5)
The angel told the women that Jesus had risen to new life.
He told them to go tell the other followers.

Jesus died and rose to bring us new life.
Easter Sunday is the special day we celebrate that Jesus Christ rose to new life.

We pray Alleluia, a word of praise.

WE RESPOND

How does your family celebrate Easter Sunday?

Celebrate what Jesus did for us. Color the Alleluia garden.

HACIENDO DISCÍPULOS

Muestra lo que sabes

Aparea las partes de la oración.

El Templo ●	● día especial cuando celebramos que Jesucristo resucitó a una nueva vida.
Domingo de Resurrección ●	● lugar santo en Jerusalén donde los judíos rezaban.

Encierra en un círculo las formas en que puedes celebrar que Jesús murió y resucitó por nosotros.

PROJECT DISCIPLE

Show What you Know

Match the sentence parts.

The Temple ●	● is the special day we celebrate that Jesus Christ rose to new life.
Easter Sunday ●	● was the holy place in Jerusalem where the Jewish People prayed.

Celebrate!

Circle the ways you can celebrate that Jesus died and rose for us.

Pray

Praise

Sing

HACIENDO DISCÍPULOS

Exprésalo

¿Qué muestra este vitral?

Jesús es nuestro

____

____

Realidad

La Iglesia nos enseña a respetar todo tipo de trabajadores. Hay personas en nuestro vecindario que trabajan para protegernos y cuidarnos. ¿Quién ayuda a protegerte y cuidarte?

- ❑ Policías
- ❑ Bomberos
- ❑ Personal de limpieza
- ❑ Personas en la parroquia y la escuela

Tarea

¿Cuáles son dos palabras de alabanza que aprendiste en este capítulo?

____

____

Digan estas palabras juntos en familia.

PROJECT DISCIPLE

Picture This

What does this stained glass window show?

Jesus is our

____

____

Reality Check

The Church teaches us to respect all workers. People work in our neighborhood to protect and care for us. Who helps to protect and care for you?

- ☐ Police officers
- ☐ Firefighters
- ☐ People who keep my neighborhood clean
- ☐ People in my parish and school

Take Home

What are the two words of praise you learned in this chapter?

____

____

Say these words as a family.

10 Jesús envía al Espíritu Santo

NOS CONGREGAMOS

✝ **Líder:** Vamos a celebrar que Jesucristo resucitó a una nueva vida.

♫ Aleluya/Alleluia

¡Aleluya! ¡Aleluya! ¡Aleluya!
¡Aleluya! ¡Aleluya! ¡Aleluya!
Este es el día en que actuó el Señor:
sea nuestra alegría. Este es
el día en que actuó el Señor:
sea nuestro gozo.

Lucas 24:36, 49

Lee conmigo

Jesús no quería que sus seguidores tuvieran miedo. El les dijo: "Paz a ustedes". (Lucas 24:36)
Jesús prometió a sus seguidores que él les enviaría un consolador.

¿Has sido sorprendido alguna vez? ¿Qué pasó?

¡Aleluya!

CREEMOS

Jesús resucitado visitó a sus seguidores.

Jesús quería que sus seguidores supieran que él había resucitado. El los visitó.

Jesus Sends the Holy Spirit

WE GATHER

✝ **Leader:** Let us celebrate that Jesus Christ rose to new life.

♫ **Aleluya/Alleluia**

Alleluia! Alleluia! Alleluia!
Alleluia! Alleluia! Alleluia!
This is the day that the Lord has made;
let us rejoice and be glad.
This is the day that the Lord has made;
let us rejoice and be glad.

Luke 24:36, 49

Read Along

Jesus did not want his followers to be afraid. He said to them, "Peace be with you." (Luke 24:36)
Jesus promised his followers that he would send them a helper.

Have you ever been surprised? What happened?

WE BELIEVE

The risen Jesus visited his followers.

Jesus wanted his followers to know that he had risen. So he visited them.

Juan 21:2–12

Lee conmigo

Una noche Pedro y otros de los seguidores de Jesús fueron a pescar. Estuvieron en el bote durante toda la noche, pero no pescaron un solo pez. Muy temprano la mañana siguiente, los seguidores de Jesús vieron a alguien en la orilla. La persona los llamó. El les dijo que tiraran las redes de nuevo al mar.

Los seguidores de Jesús tiraron las redes al agua. Ellos se sorprendieron cuando vieron las redes llenas de peces. Entonces se dieron cuenta de que la persona en la orilla era Jesús.

Pedro se puso muy contento. Saltó al agua y nadó hacia la orilla. Los demás se quedaron en el bote. Jesús les dijo: "Vengan a desayunarse". (Juan 21:12)

Imagina que tu familia está desayunando con Jesús. Di lo que dirías y harías.

Jesucristo prometió enviar al Espíritu Santo a sus seguidores.

El Cristo resucitado iba a regresar con su Padre en el cielo.
Jesús quería que sus seguidores lo recordaran.
El quería que hablaran a otros sobre el amor de Dios.
El prometió que el Espíritu Santo vendría a estar con ellos.

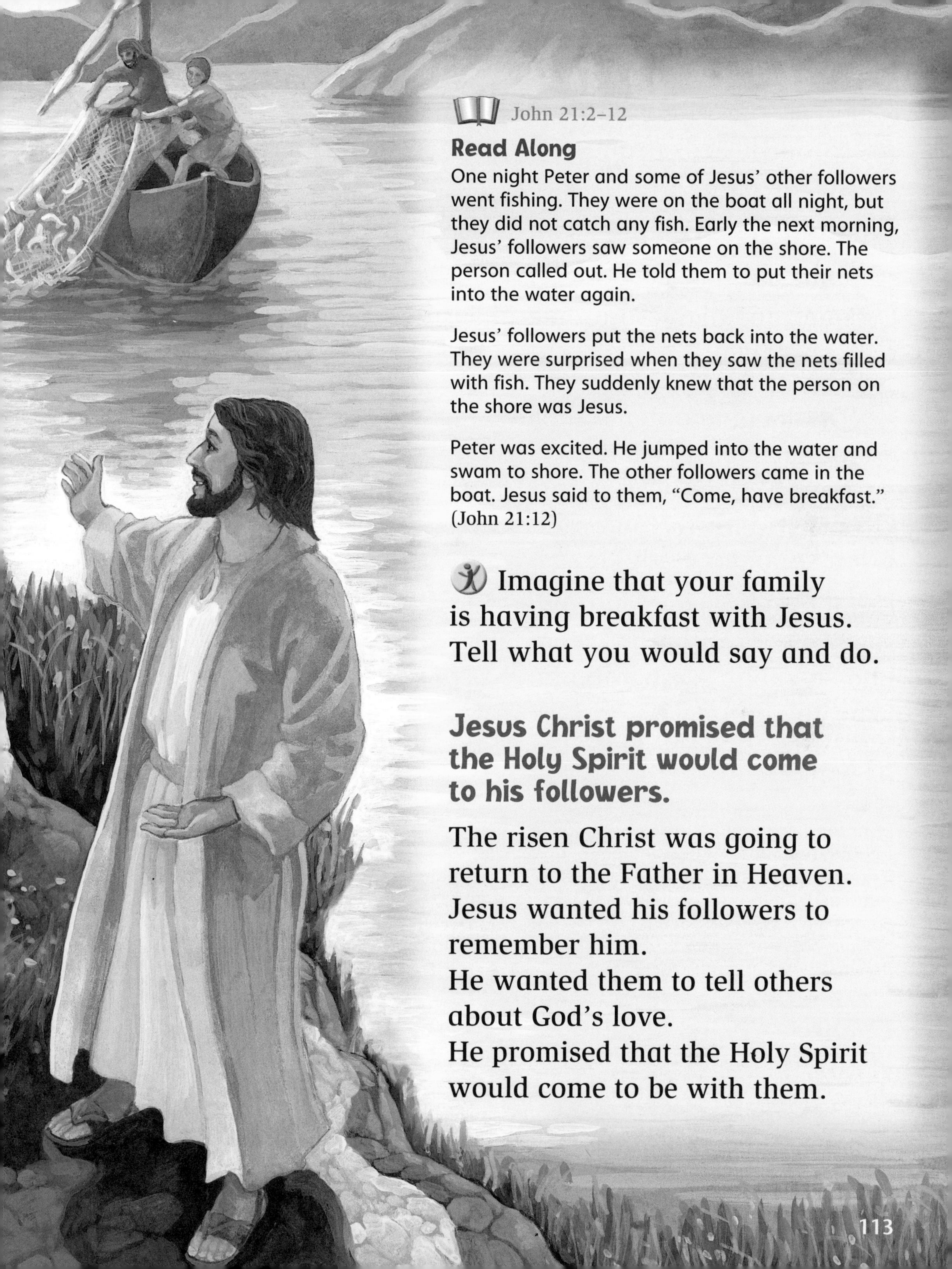

John 21:2–12

Read Along

One night Peter and some of Jesus' other followers went fishing. They were on the boat all night, but they did not catch any fish. Early the next morning, Jesus' followers saw someone on the shore. The person called out. He told them to put their nets into the water again.

Jesus' followers put the nets back into the water. They were surprised when they saw the nets filled with fish. They suddenly knew that the person on the shore was Jesus.

Peter was excited. He jumped into the water and swam to shore. The other followers came in the boat. Jesus said to them, "Come, have breakfast." (John 21:12)

Imagine that your family is having breakfast with Jesus. Tell what you would say and do.

Jesus Christ promised that the Holy Spirit would come to his followers.

The risen Christ was going to return to the Father in Heaven. Jesus wanted his followers to remember him.
He wanted them to tell others about God's love.
He promised that the Holy Spirit would come to be with them.

El Espíritu Santo también ayudó a los seguidores de Jesús a:

- recordar las cosas que Jesús hizo y dijo
- amar a otros como Jesús les enseñó
- hablar a otros sobre Jesús.

Después que hizo esa promesa, Jesús regresó al Padre.

Di algo que quieres contar a alguien sobre Jesús.

El Espíritu Santo fue enviado a los seguidores de Jesús.

Después que Jesús regresó al cielo, sus seguidores fueron a Jerusalén. Ellos rezaban y esperaban al Espíritu Santo.

 Hechos de los apóstoles 2:1–4

Lee conmigo

Temprano en la mañana, los seguidores de Jesús estaban reunidos en un lugar. La madre de Jesús, María, estaba con ellos. De repente, se oyó un sonido como el de un fuerte viento. Después vieron lo que parecía como lenguas de fuego sobre la cabeza de cada uno. "Y todos quedaron llenos del Espíritu Santo". (Hechos de los apóstoles 2:4)

Pentecostés es el día en que el Espíritu Santo vino a los seguidores de Jesús.

Vocabulario

Pentecostés el día en que el Espíritu Santo vino a los seguidores de Jesús

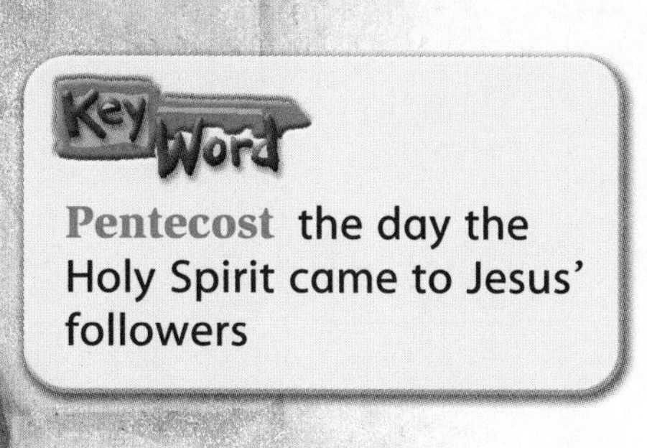

Pentecost the day the Holy Spirit came to Jesus' followers

The Holy Spirit would help Jesus' followers to:

- remember the things Jesus had said and done
- love others as Jesus had taught them
- tell others about Jesus.

After he made this promise, Jesus returned to his Father.

Name one thing you want to tell someone about Jesus.

The Holy Spirit was sent to Jesus' followers.

After Jesus returned to Heaven, his followers went to Jerusalem. They prayed and waited for the Holy Spirit there.

 Acts of the Apostles 2:1–4

Read Along

Early one morning, Jesus' followers were together in one place. Jesus' mother, Mary, was with them. Suddenly, they heard a sound like a strong wind. Then they saw what looked like flames of fire over each of them. "And they were all filled with the holy Spirit." (Acts of the Apostles 2:4)

Pentecost is the day the Holy Spirit came to Jesus' followers.

Celebramos Pentecostés cincuenta días después de la Pascua de Resurrección.
En Pentecostés celebramos la venida del Espíritu Santo.
Todos los días recordamos que el Espíritu Santo está con nosotros.

¿Cómo crees que se sintieron los seguidores de Jesús en Pentecostés?

El Espíritu Santo es la tercera Persona de la Santísima Trinidad.

El Espíritu Santo está siempre con nosotros. La Santísima Trinidad es un Dios en tres Personas. Dios, el Espíritu Santo, es la tercera Persona de la Santísima Trinidad.

Esta es una oración que hacemos para alabar a la Santísima Trinidad.

Gloria al Padre,
y al Hijo,
y al Espíritu Santo.
Como era en el principio,
ahora y siempre, por los
siglos de los siglos.
Amén.

Como católicos...

El Espíritu Santo nos ayuda a compartir el amor de Dios con otros. El amor de Dios trae luz y amor al mundo. Es por eso que la Iglesia con frecuencia usa una llama o fuego para recordarnos al Espíritu Santo. El fuego nos da luz y calor.

Recuerda rezar con frecuencia al Espíritu Santo.

RESPONDEMOS

Piensen en gestos apropiados y úsenlos para rezar estas palabras de alabanza.

We celebrate Pentecost fifty days after Easter Sunday.
On Pentecost we celebrate the coming of the Holy Spirit.
Every day we remember that the Holy Spirit is with us.

How do you think Jesus' followers felt on Pentecost?

The Holy Spirit is the Third Person of the Blessed Trinity.

The Holy Spirit is always with us. The Blessed Trinity is One God in Three Persons. God the Holy Spirit is the Third Person of the Blessed Trinity.

Here is a prayer we say to praise the Blessed Trinity.

Glory to the Father,
and to the Son,
and to the Holy Spirit:
as it was in the beginning,
is now, and will be for ever.
Amen.

WE RESPOND

Think of actions and use them to pray these words of praise.

As Catholics...

The Holy Spirit helps us to share God's love with others. God's love brings light and warmth to the world. This is why the Church often uses a picture of a flame or fire to remind us of the Holy Spirit. Fire gives us light and warmth.

Remember to pray to the Holy Spirit often.

HACIENDO DISCÍPULOS

Muestra lo que sabes

Pentecostés

Usa los bloques para escribir la palabra del Vocabulario. Es el día en que el Espíritu Santo vino a los seguidores de Jesús.

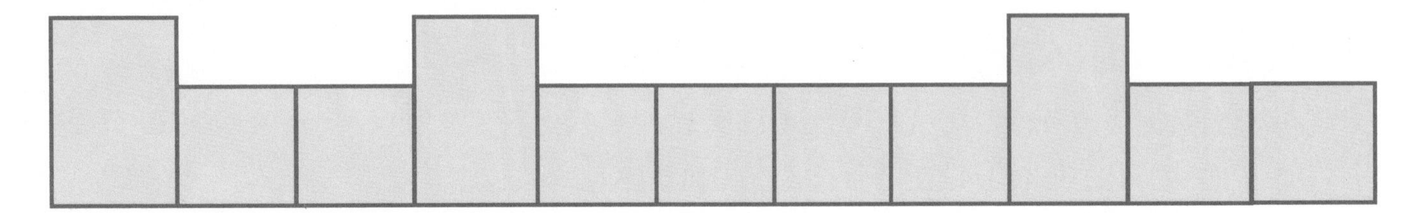

Realidad

¿Qué te ayuda a hacer hoy el Espíritu Santo?

- ❑ Recordar las cosas que Jesús hizo y dijo
- ❑ Amar a otros como Jesús nos enseñó
- ❑ Hablar con otros de Jesús
- ❑ Decir a otros sobre el amor de Dios

PROJECT DISCIPLE

Show What you Know

Pentecost

Use the word shape to write the Key Word.
It is the day the Holy Spirit came to
Jesus' followers.

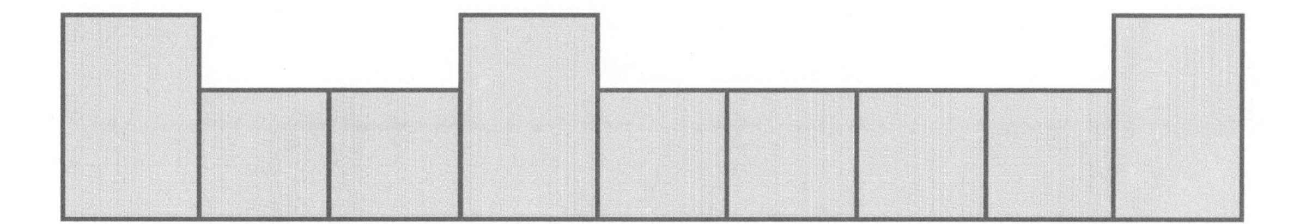

Reality Check

What can the Holy Spirit help you to do today?

- ❑ Remember the things Jesus said and did
- ❑ Love others as Jesus taught
- ❑ Tell others about Jesus
- ❑ Tell others about God's love

HACIENDO DISCIPULOS

Exprésalo

Dibuja una llama de fuego sobre cada uno de los seguidores de Jesús para recordar que el Espíritu Santo vino sobre ellos.

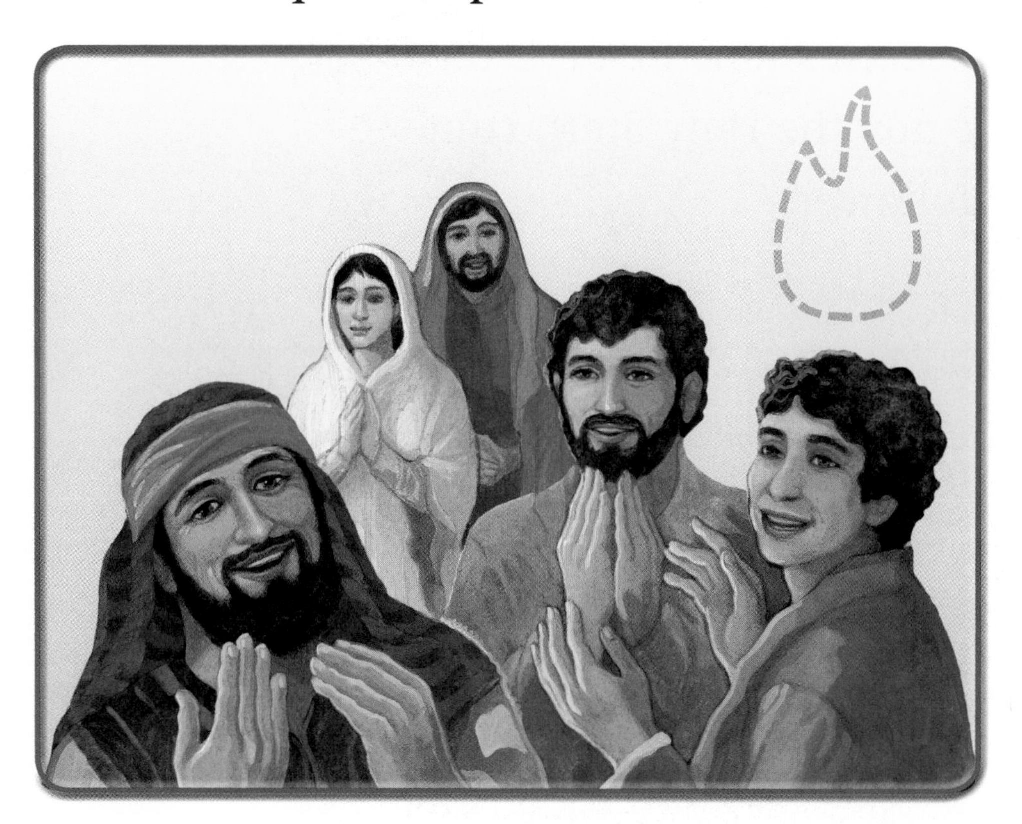

Hazlo

Nombra una oración a la Santísima Trinidad.

RETO PARA EL DISCIPULO

Rézala.

Enséñala a tu amigo.

Tarea

En muchas parroquias, la gente se reúne para desayunar juntos después de la misa del domingo. Hablan con personas que conocen. Conocen otras personas. Averigua en la Web de tu parroquia si tu parroquia tiene este tipo de actividad. Si la hay, planifiquen participar en familia.

PROJECT DISCIPLE

Picture This

Draw a flame of fire over each of Jesus' followers to remind you that the Holy Spirit came upon them.

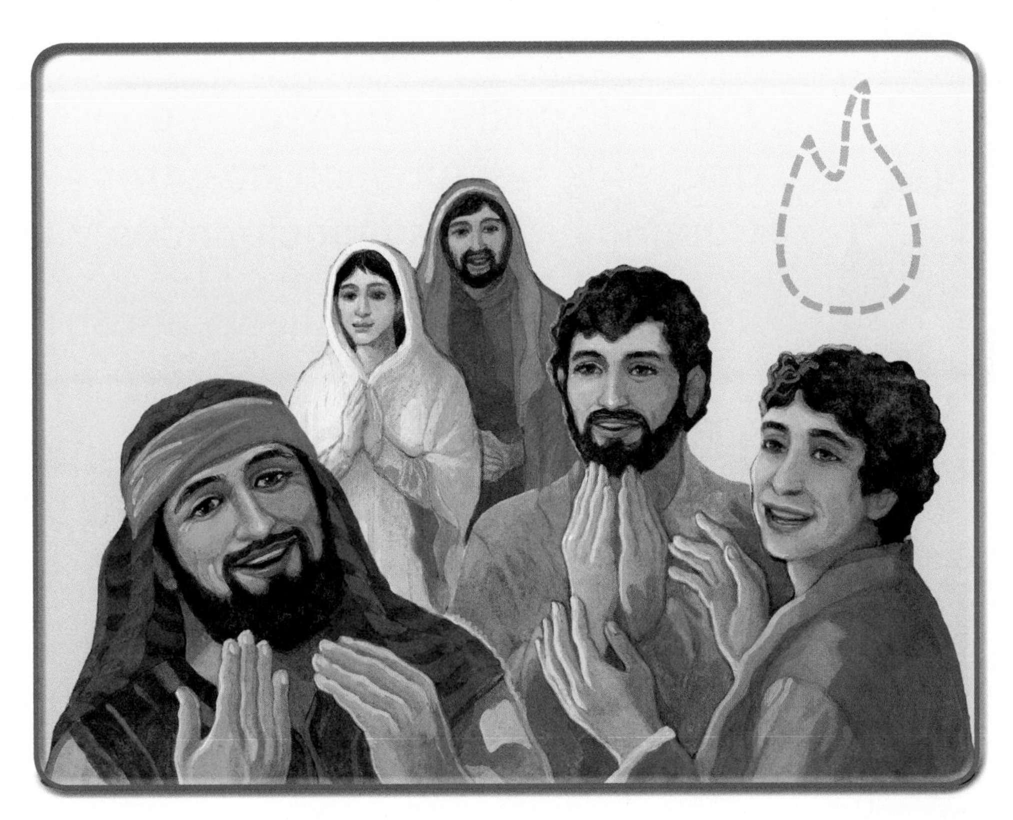

Make *it* Happen

Name a prayer to the Blessed Trinity.

DISCIPLE CHALLENGE

Say it.

Teach it to your friend.

Take Home

In many parishes, people join one another for breakfast after Sunday Mass. They talk with people they know. They meet new people. Check your parish bulletin or Web site to see if your parish does this. If so, plan to join in as a family.

El Espíritu Santo ayuda a la Iglesia a crecer

NOS CONGREGAMOS

✝ **Líder:** Espíritu Santo, ayúdanos a creer que estás siempre con nosotros. Cuando estamos emocionados y felices.

Todos: Espíritu Santo, llena nuestro ♡ de amor.

Líder: Cuando estamos tristes y melancólicos.

Todos: Espíritu Santo, llena nuestro  de amor.

 Piensa en algo emocionante que te pasó. ¿A quién le contaste?

CREEMOS

La Iglesia empezó en Pentecostés.

Hechos de los apóstoles 2:36–38, 41

Lee conmigo

En Pentecostés, Pedro y los demás apóstoles hablaron sobre Jesús. Pedro le dijo a todo el mundo que creyeran en Jesús. El les pidió seguir a Jesús. Si lo hacían, recibirían al Espíritu Santo.

Ese día más de tres mil personas recibieron el don del Espíritu Santo. Ellos se hicieron seguidores de Jesús.

The Holy Spirit Helps the Church to Grow

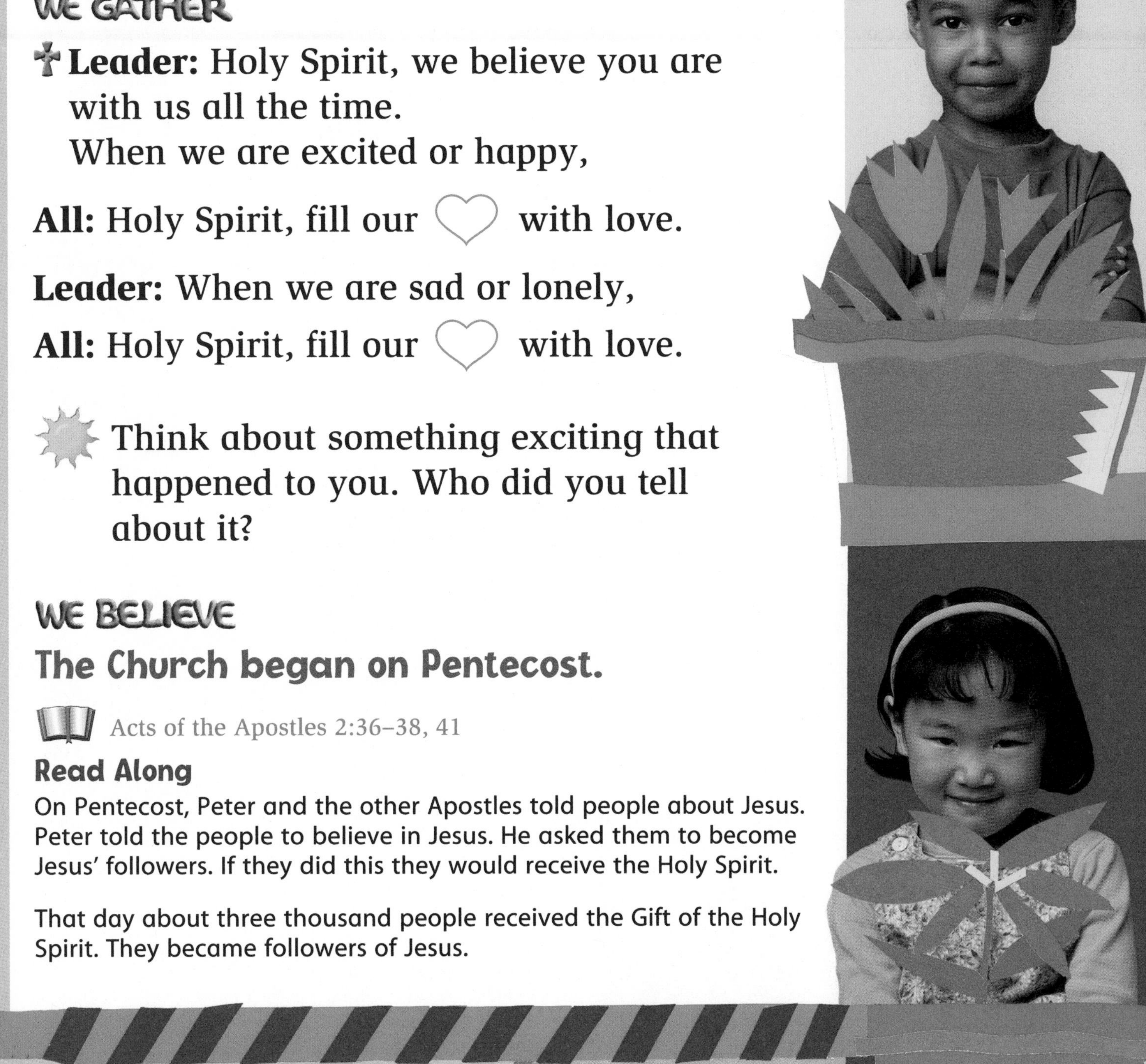

WE GATHER

✝ **Leader:** Holy Spirit, we believe you are with us all the time.
When we are excited or happy,

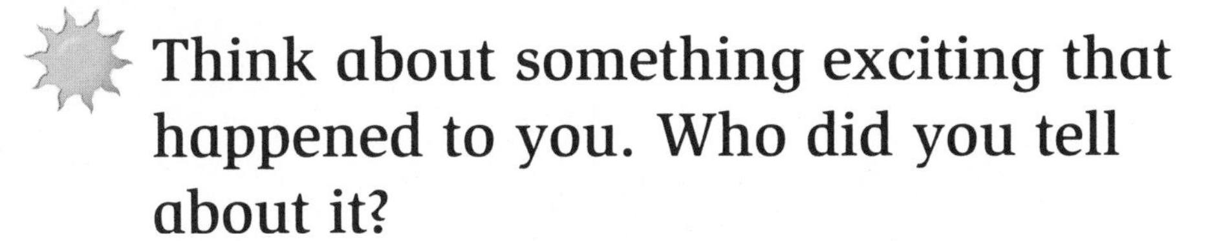

All: Holy Spirit, fill our ♡ with love.

Leader: When we are sad or lonely,

All: Holy Spirit, fill our ♡ with love.

Think about something exciting that happened to you. Who did you tell about it?

WE BELIEVE

The Church began on Pentecost.

Acts of the Apostles 2:36–38, 41

Read Along

On Pentecost, Peter and the other Apostles told people about Jesus. Peter told the people to believe in Jesus. He asked them to become Jesus' followers. If they did this they would receive the Holy Spirit.

That day about three thousand people received the Gift of the Holy Spirit. They became followers of Jesus.

Ese fue el inició de la Iglesia. La **Iglesia** son todos los que creen en Jesús y siguen sus enseñanzas.

Dibújate en la ilustración.
Piensa que estás entre la multitud.
Di que estás viendo y escuchando.

Los primeros miembros de la Iglesia hicieron muchas cosas juntos.

Los primeros miembros de la Iglesia eran como una familia.
Ellos hablaban de las enseñanzas de Jesús.
Ellos aprendían juntos sobre como seguir a Jesús.
Ellos compartían lo que tenían.
Ellos alababan juntos a Dios.

Pentecost was the beginning of the Church.
The **Church** is all the people who believe in Jesus and follow his teachings.

Add yourself to the picture.
Pretend you are in the crowd.
Tell what you are seeing and hearing.

The first members of the Church did many things together.

The first members of the Church were like a close family.
They talked about Jesus' teachings.
They learned together about ways to follow Jesus.
They shared the things they had.
They praised God together.

Nueva creación

Camina, pueblo de Dios. (2x)
Nueva ley, nueva alianza,
en la nueva creación:
camina, pueblo de Dios. (2x)

¿Cómo puedes vivir como los primeros miembros de la Iglesia?

El Espíritu Santo ayudó a la Iglesia a crecer.

Los primeros miembros de la Iglesia estaban llenos del Espíritu Santo.

Con la ayuda del Espíritu Santo, ellos:

- creyeron en Jesús
- dijeron a todo el mundo lo que Jesús había hecho por ellos
- compartieron el amor de Dios con otros
- ayudaron a los pobres y a los enfermos
- trataron de ser amables y justos con todos.

Todos los días más y más gente se hace miembro de la Iglesia.

Como católicos...

Después que la Iglesia empezó, Pablo se hizo miembro. Al igual que Pedro, él enseñó a todos lo que sabía sobre Jesús. Pablo enseñó que todo el mundo es bienvenido a la Iglesia.

El 29 de Junio, la Iglesia honra a San Pedro y San Pablo. En ese día, recordamos que Pedro y Pablo ayudaron a la Iglesia a crecer. Puedes aprender más sobre San Pedro y San Pablo en la Biblia.

Encierra en un círculo una letra sí y una no. Usa las letras en los círculos para encontrar la palabra escondida.

C A R G E M C O E S R

El Espíritu Santo nos ayuda a

____ ____ ____ ____ ____ ____.

 **The First Church Members**
("Here We Go 'Round the Mulberry Bush")

The first Church members shared
their things,
shared their things, shared their things.
The first Church members shared
their things,
and we can do the same.

 How can you live like the first Church members?

The Holy Spirit helped the Church to grow.

The first members of the Church were filled with the Holy Spirit.

With the help of the Holy Spirit, they:

- believed in Jesus
- told everyone what Jesus had done for them
- shared God's love with others
- helped those who were poor or sick
- tried to be kind and fair to everyone.

Every day more and more people became members of the Church.

As Catholics...

After the Church began, Paul became a member, too. Like Peter, he told everyone he met about Jesus. Paul taught that all people were welcome in the Church.

On June 29, the Church honors Saint Peter and Saint Paul. On this day, we remember that Peter and Paul helped the Church to grow. You can learn more about Saint Peter and Saint Paul in the Bible.

Circle every other letter. Use the letters in the circles to find the missing word.

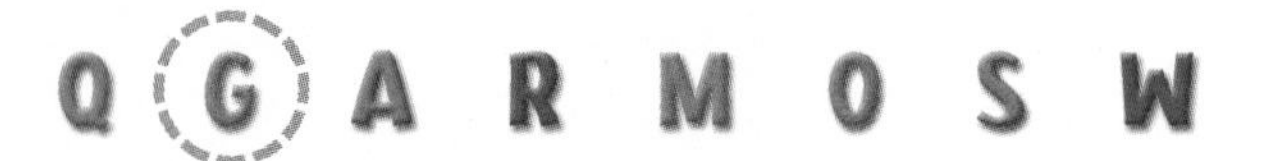

The Holy Spirit helps the Church to ____ ____ ____ ____.

El Espíritu Santo ayuda a la Iglesia hoy.

El Espíritu Santo está siempre con la Iglesia. Somos miembros de la Iglesia. El Espíritu Santo nos ayuda a saber que Jesús nos ama. El Espíritu Santo nos ayuda a vivir como Jesús nos enseñó. Con la ayuda del Espíritu santo podemos:

- rezar
- compartir con otros
- cuidar de los enfermos y los pobres
- mostrar respeto por todo el mundo
- aprender más sobre Jesús y la Iglesia.

Iglesia son todos los que creen en Jesús y siguen sus enseñanzas

RESPONDEMOS

¿Qué pueden hacer tú y tu familia para vivir como Jesús nos enseñó?

The Holy Spirit helps the Church today.

The Holy Spirit is always with the Church.
We are members of the Church.
The Holy Spirit helps us to know that Jesus loves us.
The Holy Spirit helps us to live as Jesus taught us.

Church all the people who believe in Jesus and follow his teachings

With the help of the Holy Spirit we:

- pray
- share with others
- care for those who are poor or sick
- show respect for all people
- learn more about Jesus and the Church.

WE RESPOND

What can you and your family do to live as Jesus taught us?

HACIENDO DISCÍPULOS

Muestra lo que sabes

Traza la palabra del Vocabulario en cada una de las afirmaciones de fe.

La Iglesia empezó en Pentecostés.

Los primeros miembros de la Iglesia hicieron muchas cosas juntos.

El Espíritu Santo ayudó a la Iglesia a crecer.

El Espíritu Santo ayuda a la Iglesia hoy.

Datos

Estas son algunas formas en que los miembros de la Iglesia en todo el mundo dicen gracias.

thank you	inglés
kam sa ham ni da	koreano
dziekuje	polaco
gracias	español
ahsante	suajili
malo malo	tonganés

PROJECT DISCIPLE

Show What you Know

Trace the Key Word in every faith statement.
Think about what it means.

The Church began on Pentecost.

The first members of the Church did many things together.

The Holy Spirit helped the Church to grow.

The Holy Spirit helps the Church today.

Fast Facts

Here are some ways to thank members of the Church all over the world.

thank you	English
kam sa ham ni da	Korean
dziekuje	Polish
gracias	Spanish
ahsante	Swahili
malo malo	Tongan

HACIENDO DISCÍPULOS

¿En qué se parecen los miembros de tu familia a los primeros miembros de la Iglesia?

- ❑ Hablamos sobre las enseñanzas de Jesús.
- ❑ Aprendemos como seguir a Jesús.
- ❑ Compartimos nuestro dinero.
- ❑ Compartimos nuestras cosas.
- ❑ Comemos juntos.
- ❑ Alabamos juntos a Dios.

Hazlo

Canta "Nueva creación" haciendo gestos. Después enséñala a un amigo.

Compártelo.

Tarea

En familia dibujen un cuadro que muestre como el Espíritu Santo está en la Iglesia hoy. Pueden usar fotos de revistas o hacer dibujos. Escriban palabras para describir las fotos.

PROJECT DISCIPLE

How are your family members like the first Church members?

- ❑ We talk about Jesus' teachings.
- ❑ We learn about ways to follow Jesus.
- ❑ We share our money.
- ❑ We share our things.
- ❑ We eat together.
- ❑ We praise God together.

Make it Happen

Make up prayer actions to the song you learned in this chapter. Then, teach it to your friend.

Now, pass it on!

Take Home

Make a poster with your family to show how the Holy Spirit is with the Church today. Use pictures from a magazine or draw your own. Write words to go with your pictures.

12 La Iglesia sirve

NOS CONGREGAMOS

✝ **Líder:** Oremos.

♫ **Pueblo santo y elegido/ Holy People, Chosen People**

Pueblo santo y elegido
congregado en el amor,
vas buscando, peregrino,
la ciudad de nuestro Dios.

¿Quiénes son los líderes de los grupos a los que perteneces? ¿Qué hacen ellos?

CREEMOS

Los apóstoles dirigieron y cuidaron de la Iglesia.

Antes de morir, Jesús pidió a los apóstoles dirigir y cuidar de todos sus seguidores. El escogió al apóstol Pedro, para ser el líder de todos los apóstoles.

The Church Serves

WE GATHER

✝ **Leader:** Let us pray together.

♫ **Pueblo santo y elegido/ Holy People, Chosen People**

Holy people, chosen people
brought together in God's love:
you are seeking, fellow pilgrims,
the city of our God.

Who are the leaders of groups you belong to? What do they do?

WE BELIEVE

The Apostles led and cared for the Church.

Before Jesus died, he asked the Apostles to lead and care for all of his followers. He chose the Apostle Peter to be the leader of all the Apostles.

 Mateo 16:18

Lee conmigo

Un día Jesús preguntó a Pedro lo que él creía. Pedro dijo que él creía que Jesús era el Hijo de Dios. Jesús le dijo a Pedro: "Y yo te digo que tú eres Pedro, y sobre esta piedra voy a construir mi iglesia". (Mateo 16:18)

El Espíritu Santo ayudó a Pedro
y a los apóstoles a dirigir la Iglesia.
Su creencia en Jesús se mantuvo firme.
Ellos compartían su amor por Jesús con otros.

Los apóstoles fueron a tierras lejanas
a enseñar a la gente acerca de Jesús.
Muchas de esas personas se hicieron
miembros de la Iglesia.
Los apóstoles trabajaron para ayudar
a la Iglesia a crecer.

Escribe una forma en que puedes compartir tu amor por Jesús con otros esta semana.

____

Los obispos dirigen y cuidan de la Iglesia.

Jesús escogió a los apóstoles para dirigir la Iglesia.
Después los apóstoles escogieron a otros para dirigir la Iglesia.
Esos hombres tomaron el lugar de los apóstoles.
Ellos hicieron el trabajo que habían hecho los apóstoles.
Ellos trabajaron juntos para dirigir la Iglesia.
Esos líderes se conocen como los obispos.

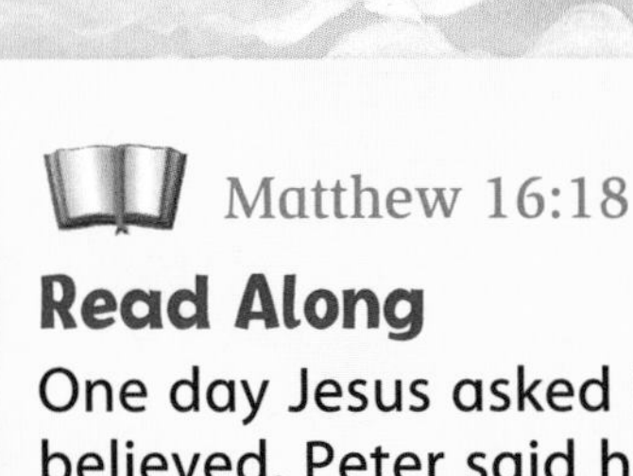

Matthew 16:18

Read Along

One day Jesus asked Peter what he believed. Peter said he believed that Jesus was the Son of God. Jesus then said to Peter, "And so I say to you, you are Peter, and upon this rock I will build my church." (Matthew 16:18)

The Holy Spirit helped Peter and all the Apostles to lead the Church. Their belief in Jesus stayed strong. They shared their love for Jesus with others.

The Apostles went to faraway lands to teach people about Jesus.
Many of these people became members of the Church.
The Apostles worked to help the Church grow.

Write one way you can share your love for Jesus with others this week.

____

The bishops lead and care for the Church.

Jesus chose the Apostles to lead the Church.
In later years, the Apostles chose other men to lead the Church.
These men took the place of the Apostles.
They did the work the Apostles had done.
They worked together to lead the Church.
These leaders became known as bishops.

Como católicos...

El papa vive en el Vaticano en Roma, Italia. La iglesia principal del Vaticano se llama San Pedro, en nombre de Pedro, el primer líder de la Iglesia. Busca el nombre del papa.

Los obispos siguen dirigiendo y cuidando de la Iglesia hoy. Ellos enseñan acerca de Jesús y la Iglesia. Ellos rezan con el pueblo y cuidan de él. Los obispos dirigen y cuidan de las diócesis. Una diócesis está compuesta de muchos miembros de la Iglesia.

¿Quién es tu obispo?
¿Cuál es el nombre de tu diócesis?

El papa dirige y cuida de toda la Iglesia.

El papa es el obispo de Roma, Italia. El tiene el lugar de San Pedro. Como San Pedro, él dirige y cuida de toda la Iglesia.

El papa trabaja junto con todos los obispos.

- El reza por la Iglesia y cuida de ella.
- El enseña lo que Jesús enseñó.
- El visita los pueblos en todo el mundo.
- El ayuda a la gente en todo el mundo.
- El cuida de todos los necesitados.

El Espíritu Santo ayuda al papa a cuidar de la Iglesia.

Imagina que vas a conocer al papa. ¿Qué le dirías?

Bishops still lead and care for the Church today. They teach about Jesus and the Church. They pray with the people in their care. Bishops lead and care for each diocese. A diocese is made up of many members of the Church.

As Catholics...

The pope lives in the Vatican in Rome, Italy. The main church building of the Vatican is called Saint Peter's. It is named for Peter, the first leader of the Church. Find out the name of the pope.

Who is your bishop?
What is the name of your diocese?

The pope leads and cares for the whole Church.

The pope is the Bishop of Rome in Italy. He takes the place of Saint Peter. Just like Saint Peter, he leads and cares for the whole Church.

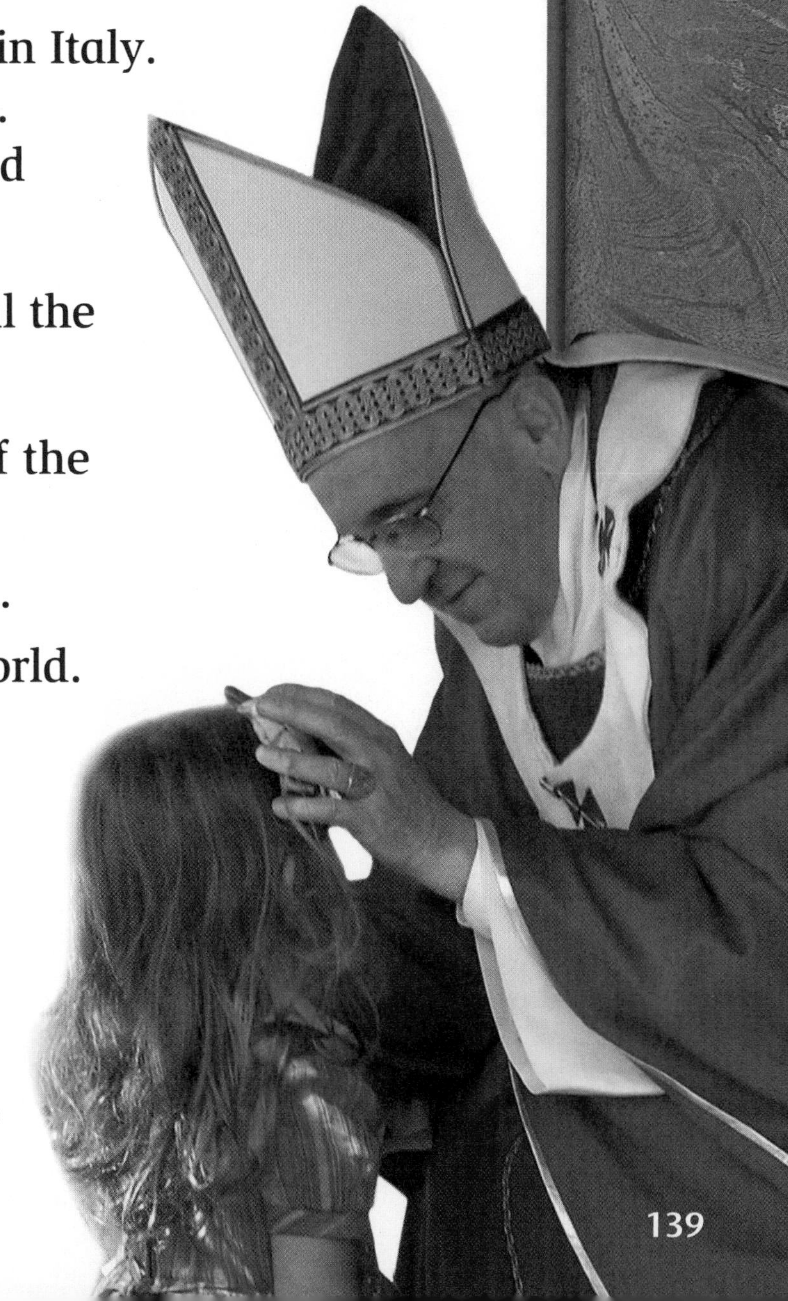

The pope works together with all the bishops.

- He prays for and takes care of the Church.
- He teaches what Jesus taught.
- He visits people all over the world.
- He helps people everywhere.
- He cares for those in need.

The Holy Spirit helps the pope to care for the Church.

Imagine that you meet the pope. What will you say to him?

La Iglesia sirve a otros.

Servir es otra palabra para cuidar
y ayudar a otros.

Lee conmigo

Jesús mostró a sus seguidores como servir a los demás.
El dio de comer a los que tenían hambre. El pasó tiempo
con los que necesitaban de él. El cuidó de los enfermos.
El compartió el amor de Dios con todo el mundo. Jesús dijo:
"Ustedes hagan lo mismo que yo les he hecho". (Juan 13:15)

Los miembros de la Iglesia se sirven unos
a otros.
Mostramos nuestro amor a Dios cuando
servimos a otros.
¿En qué forma están las personas en los
dibujos haciendo lo que Jesús hizo?

RESPONDEMOS

Pon un ♥ al lado de
los dibujos que muestran
como tú y tu familia pueden
amar y servir a otros.

The Church serves others.

Serving is another word for caring and helping others.

Read Along

Jesus showed his followers ways to serve others. He fed people who were hungry. He spent time with people who needed him. He took care of people who were sick. He shared God's love with everyone. Jesus said, "As I have done for you, you should also do." (John 13:15)

Members of the Church serve others. We show our love for God when we serve others.
How are the people in the pictures doing what Jesus did?

WE RESPOND

Put a ♥ beside the pictures that show how you and your family can love and serve others.

HACIENDO DISCÍPULOS

Muestra lo que sabes

Organiza estas palabras. ¿Cómo estas personas han dirigido y guiado a la Iglesia?

plostaose	poibso	paap

Exprésalo

Eres un miembro de la Iglesia. Haz un dibujo de cómo puedes servir a otros.

PROJECT DISCIPLE

Show What you Know

Unscramble the words below. How have these people led and cared for the Church?

plostAse	hopsib	oppe

Picture This

You are a member of the Church. Draw a picture of a way you can serve others.

HACIENDO DISCIPULOS

La beata Teresa de Calcuta se conoce como la Madre Teresa. Ella cuidó de los enfermos y desamparados en la India. Junto a sus ayudantes dio de comer a la gente. También les ofreció un lugar para vivir. Las ayudantes de la Madre Teresa son llamadas Misioneras de la Caridad. Ellas cuidan de las personas en necesidad en ciudades en todo el mundo.

Investiga

¿Cuál es el nombre de tu obispo? ¿Cuál es el nombre del papa? Investígalo.

Tarea

Conversen en familia sobre formas en que puedes servir a otros. Haz un plan.

RETO PARA EL DISCIPULO
Escribe tu apellido en la tarjeta de promesa. Pide a cada miembro de tu familia que la firme.

La familia ______________________
se compromete a servir a otros.

____

____

____

PROJECT DISCIPLE

Blessed Teresa of Calcutta was known as Mother Teresa. She cared for people in India who were sick and homeless. She and her helpers fed people. They gave them a place to stay. Mother Teresa's helpers are called the Missionaries of Charity. They care for people in cities all over the world.

More to Explore

What is the name of your bishop?
What is the name of the pope? Find out!

Take Home

Talk with your family about ways you can serve others. Make a plan!

DISCIPLE CHALLENGE
Print your family name on the pledge card. Ask each family member to sign it.

The ______________________ Family pledges to serve others.

____

____

____

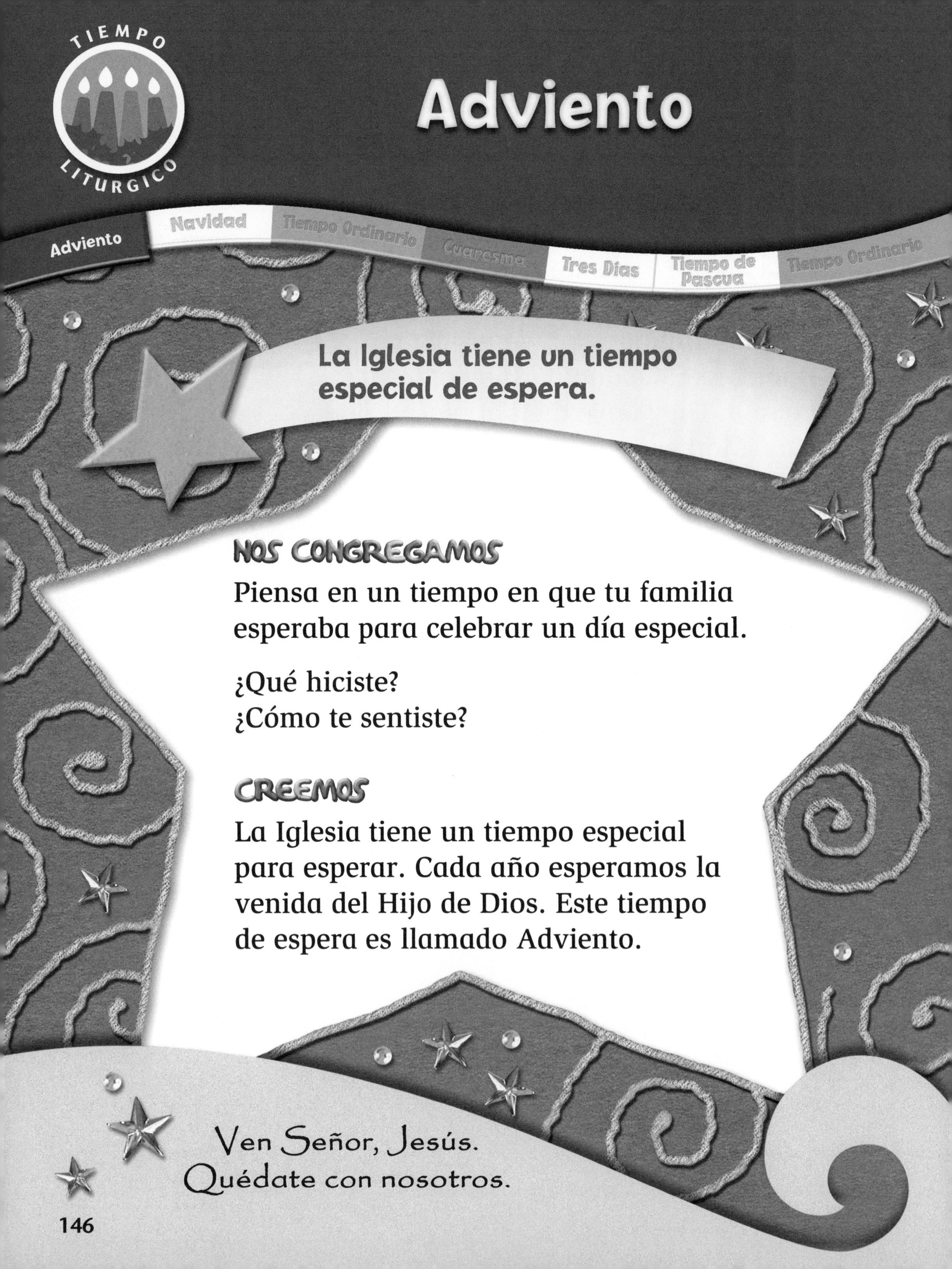

Adviento

La Iglesia tiene un tiempo especial de espera.

NOS CONGREGAMOS

Piensa en un tiempo en que tu familia esperaba para celebrar un día especial.

¿Qué hiciste?
¿Cómo te sentiste?

CREEMOS

La Iglesia tiene un tiempo especial para esperar. Cada año esperamos la venida del Hijo de Dios. Este tiempo de espera es llamado Adviento.

Ven Señor, Jesús.
Quédate con nosotros.

Advent

The Church has a special time of waiting.

WE GATHER

Think about a time your family was waiting to celebrate a special day.

What did you do?
How did you feel?

WE BELIEVE

The Church has a special time of waiting. Each year we wait for the coming of the Son of God. This waiting time is called Advent.

Come, Lord Jesus!
Be with us.

La palabra *adviento* quiere decir "venida". Cada año durante el Adviento nos preparamos. Nos preparamos para la venida del Hijo de Dios, Jesús. Nos preparamos para celebrar su nacimiento en Navidad.

El Adviento tiene cuatro semanas. La Iglesia celebra esas cuatro semanas en diferentes formas. Una forma es encendiendo velas en una corona de adviento.

La corona de adviento tiene una vela por cada semana. Encenderlas nos recuerda que Jesús es la Luz del Mundo.

Rezamos al encender las velas. Recordamos que Jesús está con nosotros. Nos preparamos para celebrar su nacimiento en Navidad.

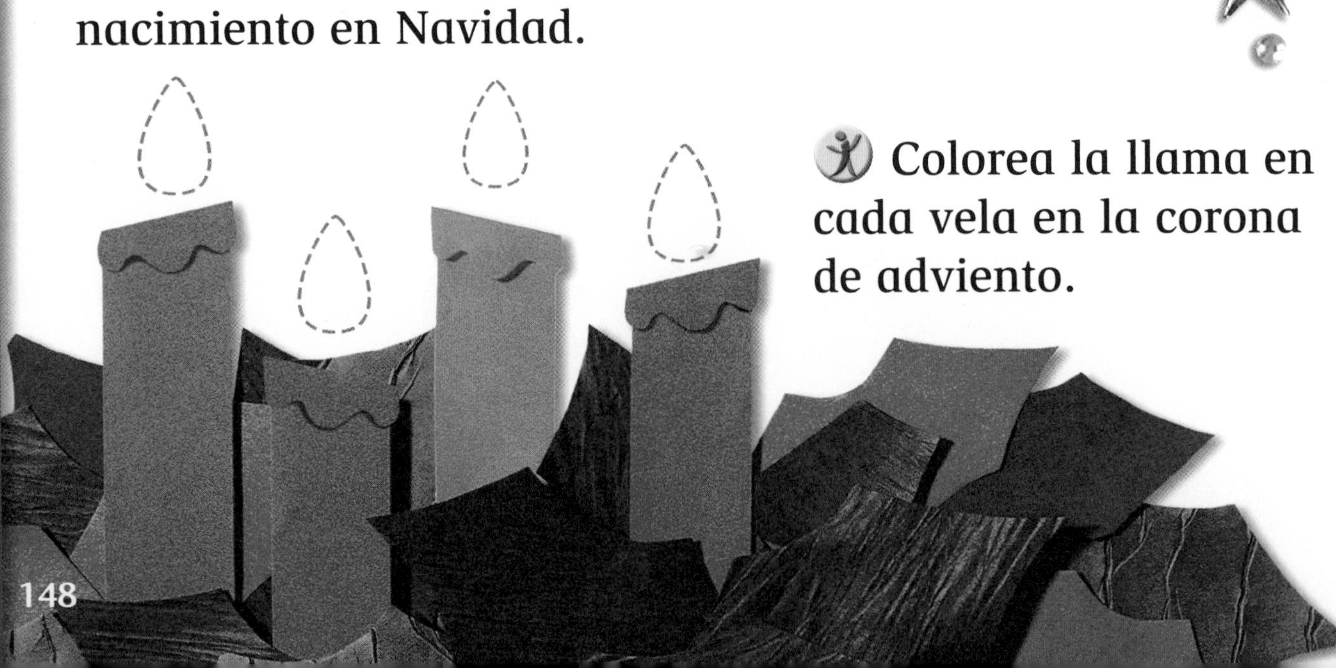

Colorea la llama en cada vela en la corona de adviento.

The word *Advent* means "coming." Each year during Advent we prepare. We get ready for the coming of God's Son, Jesus. We get ready to celebrate his birth at Christmas.

There are four weeks in Advent. The Church celebrates these four weeks in different ways. One way is by lighting candles on an Advent wreath.

On the Advent wreath there is one candle for each week. The light from the candles reminds us that Jesus is the Light of the World.

We pray as we light the candles on the Advent wreath. We remember that Jesus is with us. We prepare to celebrate his birth at Christmas.

Color the flames on each candle on the Advent wreath.

Pide a Jesús que alumbre al mundo con su luz.

RESPONDEMOS

Durante el Adviento podemos compartir la luz de Jesús con otros. Habla con tus compañeros sobre las formas en que pueden hacer eso.

Escribe una.

____

✝ Respondemos en oración

Líder: Alabemos a Dios mientras escuchamos su palabra.

Lector: Jesús dijo: "Yo soy la luz del mundo; el que me sigue, tendrá la luz que le da vida, y nunca andará en la oscuridad". (Juan 8:12)

Palabra de Dios.

Todos: Alabado seas, Señor Jesús.

Señor no tardes

Ven, ven Señor no tardes,
ven, ven que te esperamos,
ven, ven Señor no tardes,
ven pronto, Señor.

Ask Jesus to shine his light on all the world.

WE RESPOND

During Advent we can share Jesus' light with others. With your classmates talk about ways you can do this.

Write one way.

____

We Respond in Prayer

Leader: Let us praise God and listen to his Word.

Reader: Jesus said, "I am the light of the world. Whoever follows me will not walk in darkness, but will have the light of life." (John 8:12)

The Gospel of the Lord.

All: Praise to you, Lord Jesus Christ.

Jesus, Come to Us

Jesus, come to us,
lead us to your light.
Jesus, be with us,
for we need you.

HACIENDO DISCIPULOS

Exprésalo

Colorea usando el número.

Color 1 amarillo

Color 2 rosado

Color 3 morado

Color 4 verde

Color 5 

RETO PARA EL DISCIPULO ¿Qué muestra el dibujo?

____

____

Reza

Traza esta oración.
Rézala durante el Adviento para mostrar que esperas por Jesús.

Ven, Señor Jesús.

Tarea

¿Cómo puede tu familia compartir la luz de Jesús con otros? Decidan en que forma harán que esto suceda durante el Adviento.

PROJECT DISCIPLE

Picture This

Color by number.

Color 1 yellow

Color 2 pink

Color 3 purple

Color 4 green

Color 5 brown

DISCIPLE CHALLENGE What does the picture show?

____

____

Pray Today

Trace this prayer.

Pray it during Advent to show you are waiting for Jesus.

Come, Lord Jesus!

Take Home

How can your family share Jesus' light with others? Decide on one way and make it happen during the Advent season.

Navidad

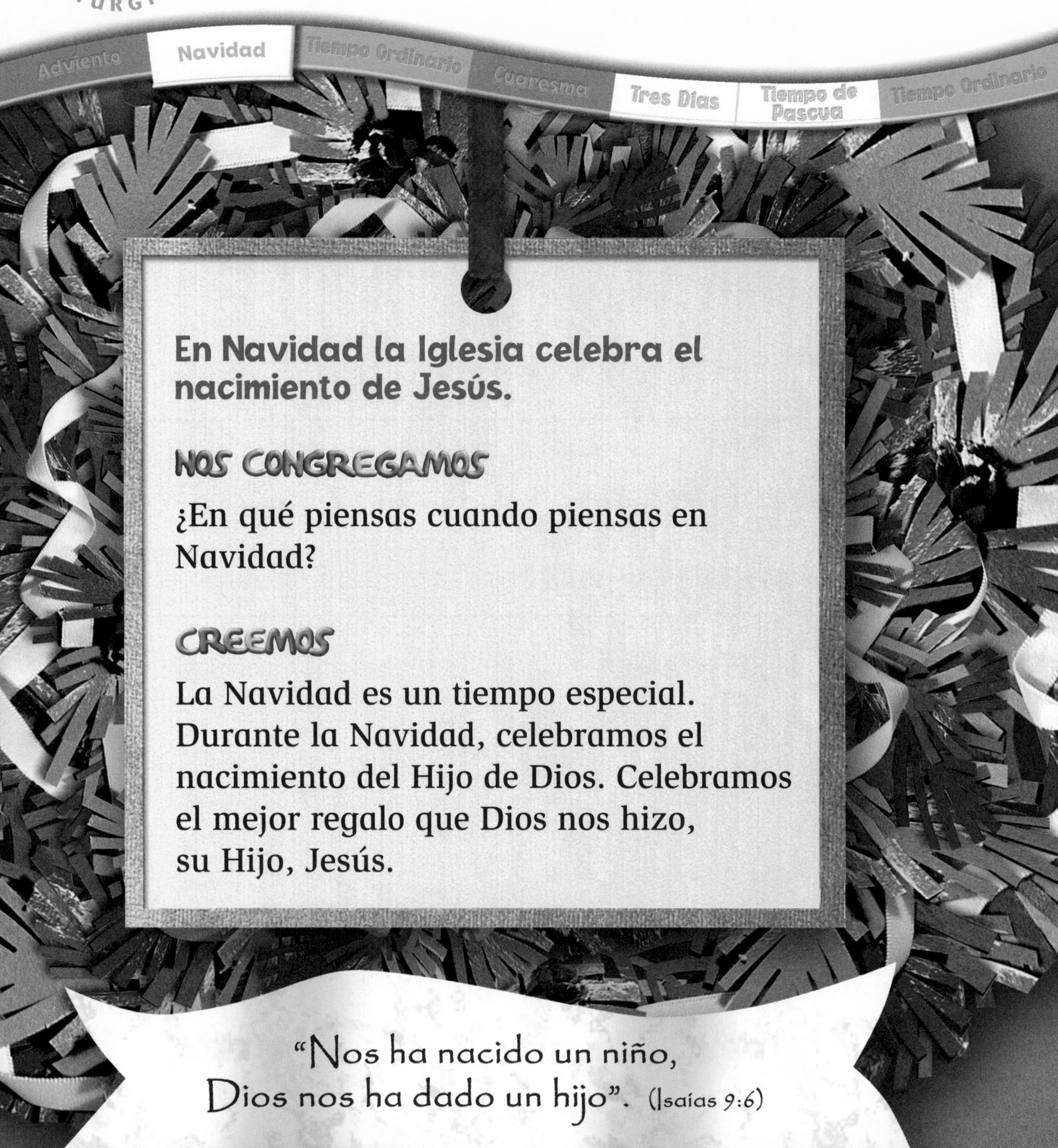

En Navidad la Iglesia celebra el nacimiento de Jesús.

NOS CONGREGAMOS

¿En qué piensas cuando piensas en Navidad?

CREEMOS

La Navidad es un tiempo especial. Durante la Navidad, celebramos el nacimiento del Hijo de Dios. Celebramos el mejor regalo que Dios nos hizo, su Hijo, Jesús.

"Nos ha nacido un niño,
Dios nos ha dado un hijo". (Isaías 9:6)

Christmas

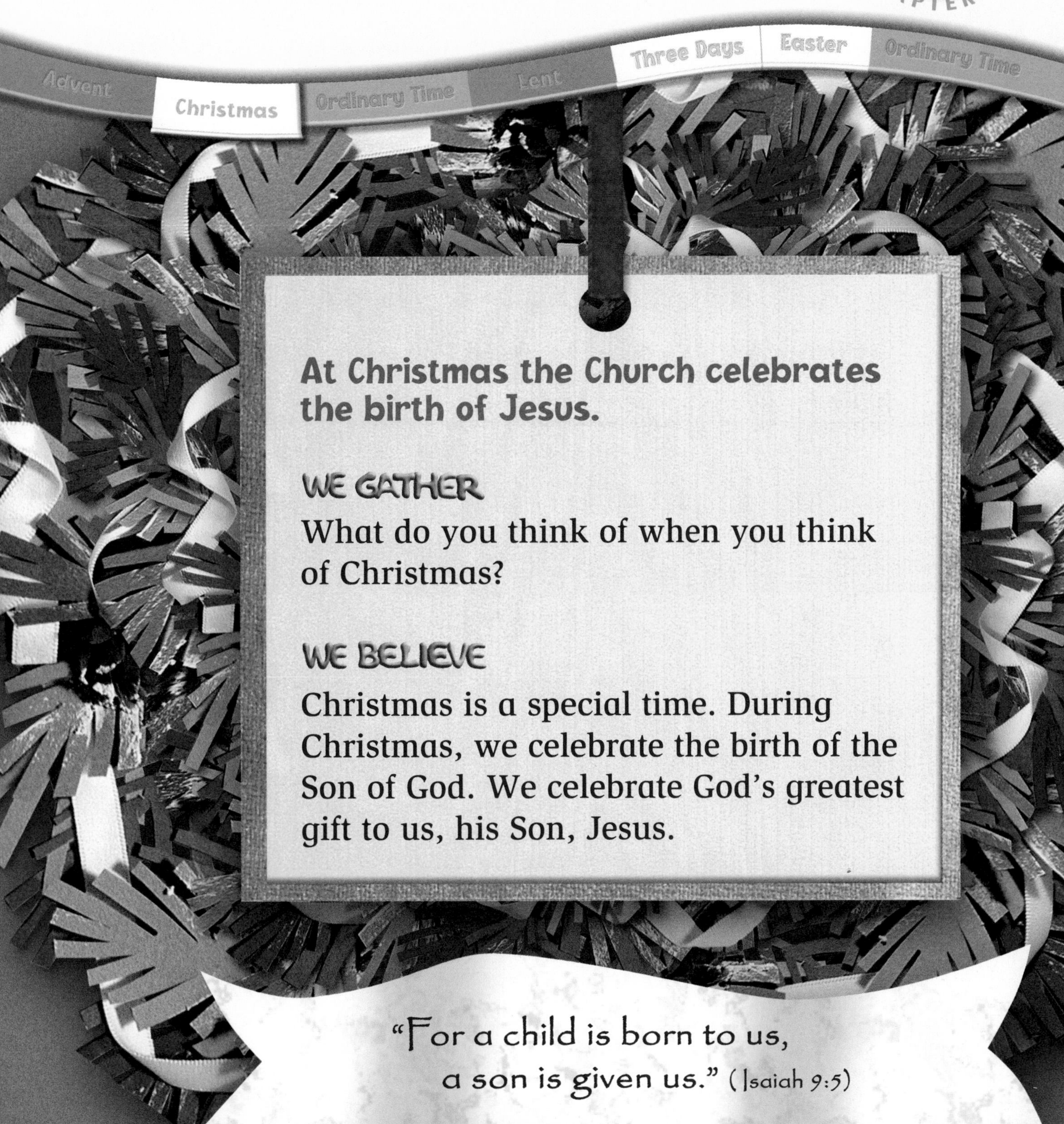

At Christmas the Church celebrates the birth of Jesus.

WE GATHER

What do you think of when you think of Christmas?

WE BELIEVE

Christmas is a special time. During Christmas, we celebrate the birth of the Son of God. We celebrate God's greatest gift to us, his Son, Jesus.

"For a child is born to us,
a son is given us." (Isaiah 9:5)

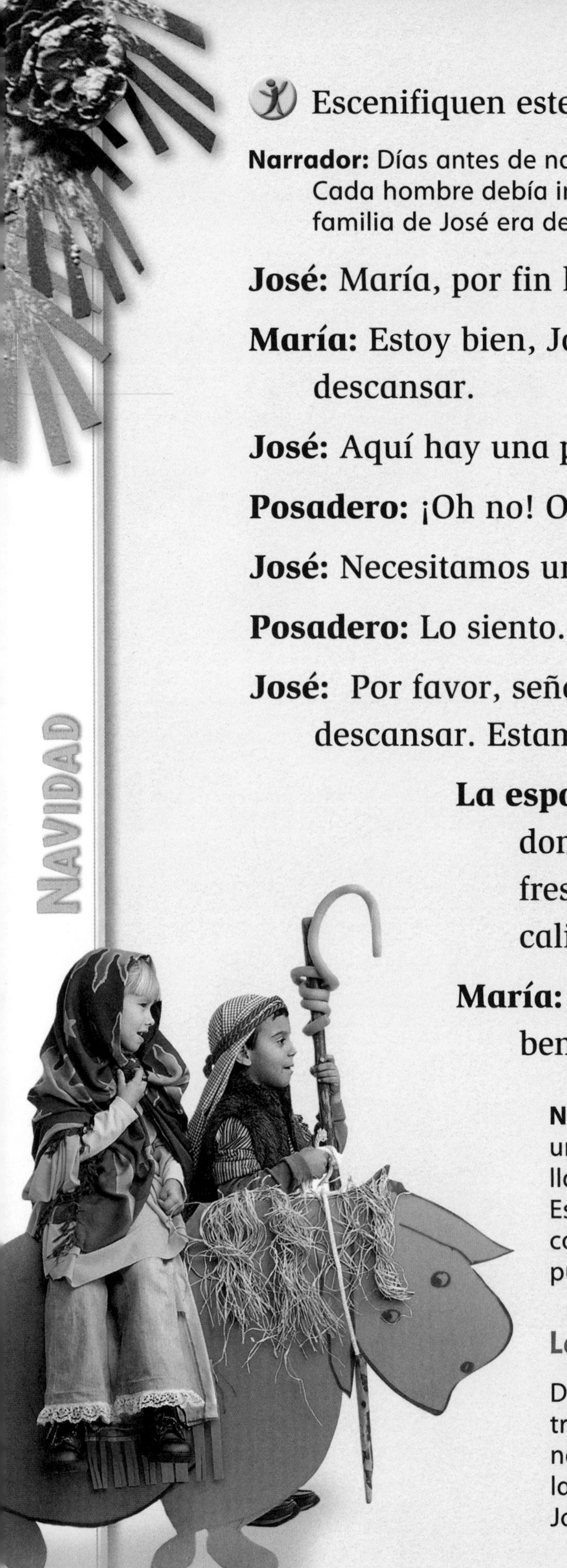

Escenifiquen este drama de Navidad. (Lucas 2:1–7)

Narrador: Días antes de nacer Jesús, el gobernador quiso contar la gente. Cada hombre debía ir al pueblo de su familia para ser contado. La familia de José era de Belén. José y María hicieron un largo viaje a Belén.

José: María, por fin llegamos a Belén. Debes estar cansada.

María: Estoy bien, José. Fue un largo viaje. Sería bueno descansar.

José: Aquí hay una posada. Quizás podamos quedarnos ahí.

Posadero: ¡Oh no! Otro viajero. ¿Qué quieres?

José: Necesitamos un lugar para dormir.

Posadero: Lo siento. No queda nada.

José: Por favor, señor, mi esposa necesita un lugar para descansar. Estamos esperando un bebé.

La esposa del posadero: Tenemos un lugar donde están los animales. Puse paja fresca esta mañana. Por lo menos estarán calientes ahí.

María: Gracias, es muy amable. Que Dios la bendiga.

Narrador: José y María se quedaron ahí. José hizo un lugar para el bebé junto a los animales. Este es llamado pesebre. El llenó el pesebre con paja limpia. Esa noche nació Jesús. María y José estaban muy contentos. Ellos lo envolvieron en pañales y lo pusieron en el pesebre.

Lee conmigo

Durante la Navidad, cantamos con gozo. Jesús ha traído la luz y el amor al mundo. El está siempre con nosotros. La Navidad es un tiempo para honrar a la Sagrada Familia. Recordamos el amor de María y José. Recordamos su amor y cuidado por Jesús.

 Act out this Christmas play. (Luke 2:1–7)

Narrator: Before Jesus was born, the ruler wanted to count all the people. Each man had to go back to the town his family came from to be counted. Joseph's family was from Bethlehem. So Joseph and Mary made the long journey to Bethlehem.

Joseph: Here we are, Mary! We're finally in Bethlehem! You must be very tired.

Mary: I'm all right, Joseph. It was a long journey. It will be so good to rest!

Joseph: Here is an inn. Maybe we can stay here.

Innkeeper: Not another traveler! What do you want?

Joseph: We need a place to stay.

Innkeeper: Sorry, there's no room left.

Joseph: Please, sir. My wife needs a place to rest. We're going to have a baby soon.

Innkeeper's Wife: We do have a place where the animals are kept. I put down fresh straw this morning. At least you can try to keep warm there.

Mary: Thank you for your kindness. May God bless you!

Narrator: So Joseph and Mary stayed there. Joseph made a place for the baby in the animals' feedbox. It is called a manger. He filled the manger with clean straw. That night, Jesus was born. Mary and Joseph were filled with joy. They wrapped the baby in swaddling clothes and laid him in the manger.

Read Along

During Christmas, we sing with joy. Jesus has brought light and love into the world. He is with us now and forever. Christmas is a time to honor the Holy Family. We remember the love of Mary and Joseph. We remember their love and care for Jesus.

RESPONDEMOS

La Navidad es tiempo para compartir el amor de Dios con la familia y amigos. Todo lo que haces por alguien puede ser un regalo. Colorea cada caja de regalo. Cada día trata de hacer una de esas cosas.

Respondemos en oración

Líder: Vamos a dar gracias porque el Hijo de Dios trae luz y amor al mundo.

Dichosa tierra, proclamad

¡Dichosa tierra, proclamad
que vino ya el Señor!
En vuestras almas preparad
un sitio al Redentor,
un sitio al Redentor,
un sitio a nuestro Redentor.

WE RESPOND

Christmas is a time to share God's love with family and friends. Each thing you do for others can be a gift.
Color each gift box. Each day try to do one of these things.

Help at home.

Pray for my family.

Share my things.

We Respond in Prayer

Leader: Let us give thanks for the Son of God brings light and love into the world.

Joy to the World

Joy to the world! The Lord is come;
Let earth receive her King;
Let ev'ry heart prepare him room,
And heav'n and nature sing,
And heav'n and nature sing,
And heav'n, and heav'n and nature sing.

HACIENDO DISCIPULOS

Durante la Navidad, muchas personas usan un nacimiento para recordar el nacimiento de Jesús.

RETO PARA EL DISCIPULO

¿Puedes encontrar a la sagrada familia en este nacimiento? Encierra en un círculo a Jesús, María y José.

Consulta

¿Cuáles son algunas formas de tu familia celebrar la Navidad?

- ❑ Intercambiando regalos
- ❑ Compartiendo comidas especiales
- ❑ Decorando la casa
- ❑ Rezando
- ❑ Celebrando el nacimiento de Jesús
- ❑ Preparando un nacimiento
- ❑ Asistiendo a misa

Tarea

En familia piensen en una forma especial de compartir el amor de Dios con otros durante la Navidad.

PROJECT DISCIPLE

Fast Facts

During Christmas, many people use a nativity scene to remind them of Jesus' birth.

DISCIPLE CHALLENGE Can you find the Holy Family in the nativity scene? Circle Jesus, Mary, and Joseph.

Question Corner

What are some ways your family celebrates Christmas?

- ❑ Exchange gifts to show our love
- ❑ Share special meals
- ❑ Decorate our home
- ❑ Pray
- ❑ Celebrate Jesus' birth
- ❑ Set up a nativity scene
- ❑ Go to Mass

Take Home

As a family, think of a special way you can share God's love with others during Christmas.

Pertenecemos a una parroquia

NOS CONGREGAMOS

Líder: Los seguidores de Jesús le pidieron: "Señor, enséñanos a orar". (Lucas 11:1) Vamos a rezar la oración que Jesús nos enseñó.

Todos: (Recen el Padrenuestro.)

¿Cuáles son algunas cosas que los miembros de la familia hacen juntos?

CREEMOS

Nuestra parroquia es como una familia.

Pertenecemos a la Iglesia Católica. Somos católicos. Pertenecemos a una parroquia.

Una **parroquia** es un grupo de católicos que comparte el amor de Dios. Ellos rezan, celebran y trabajan juntos.

We Belong to a Parish

WE GATHER

✝ **Leader:** Jesus' followers said to him, "Lord, teach us to pray." (Luke 11:1) Let us join together and pray the prayer Jesus taught.

All: (Pray the Our Father.)

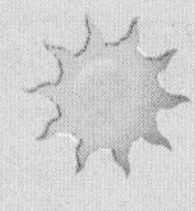

What are some things families do together?

WE BELIEVE

Our parish is like a family.

We belong to the Catholic Church. We are Catholics. We belong to a parish.

A **parish** is a group of Catholics who join together to share God's love. They pray, celebrate, and work together.

Hacemos muchas cosas por nuestra parroquia:

- alabamos a Dios y le damos gracias
- compartimos el amor de Dios con otros
- aprendemos como seguir a Jesús
- trabajamos juntos para ayudar a otros.

¿Qué cosas te gustaría hacer en tu parroquia?

Termina la tarjeta.

____

Yo, ______________________________,

pertenezco a la parroquia

____

______________________________.

Nos reunimos para alabar.

Nuestra parroquia se reúne para celebrar el amor de Dios. **Alabamos** a Dios. Le damos gracias y lo adoramos. Todas las semanas nos reunimos para alabar a Dios en nuestra iglesia parroquial. Nuestra iglesia parroquial es un lugar santo. Dios está ahí con nosotros en forma especial.

We do many things with our parish.

- We praise and thank God.
- We share God's love with others.
- We learn how to be followers of Jesus.
- We work together to help people.

What things do you like to do with your parish?

Finish the card.

____

I, ______________________________,

belong to

____

______________________________ Parish.

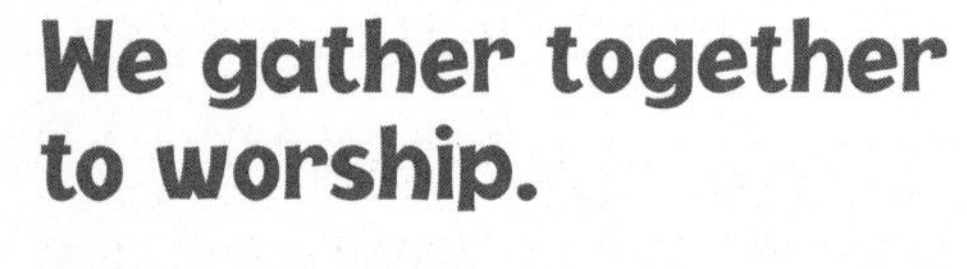

We gather together to worship.

Our parish joins together to celebrate God's love. We **worship** God. We give him thanks and praise.

Every week we gather to worship God in our parish church. Our parish church is a holy place. God is with us there in a special way.

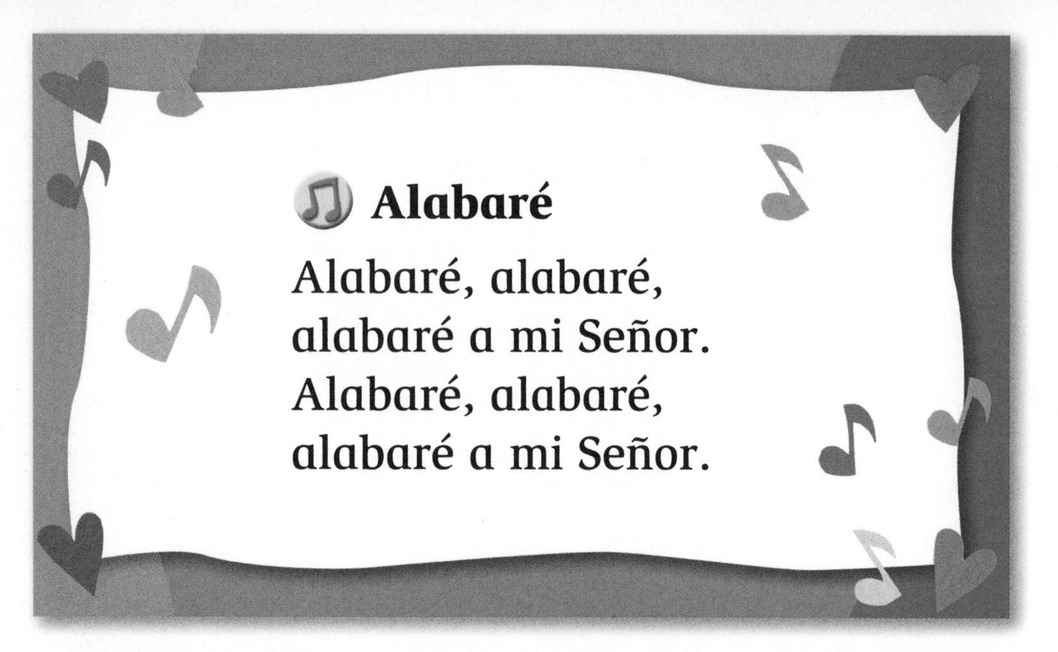

Trabajamos juntos como una parroquia.

El líder de la parroquia es llamado **párroco**. El párroco es un sacerdote. El párroco nos dirige en la alabanza. El nos enseña sobre Jesús. El nos ayuda a cuidarnos unos a otros. Algunas veces las parroquias tienen un diácono. El ayuda al párroco.

Otros líderes en la parroquia también trabajan con el párroco. Juntos ayudan a la parroquia. Algunos ayudan en la alabanza a Dios. Otros nos enseñan sobre Dios. Otros trabajan cuidando de los enfermos y necesitados.

Como católicos...

Los catequistas enseñan la fe católica a los niños, los jóvenes y los adultos de la parroquia. Ellos son personas muy importantes en la parroquia. Ellos enseñan sobre Jesús y la Iglesia. También nos ayudan a seguir a Jesús.

¿Quién te enseña tu fe católica?

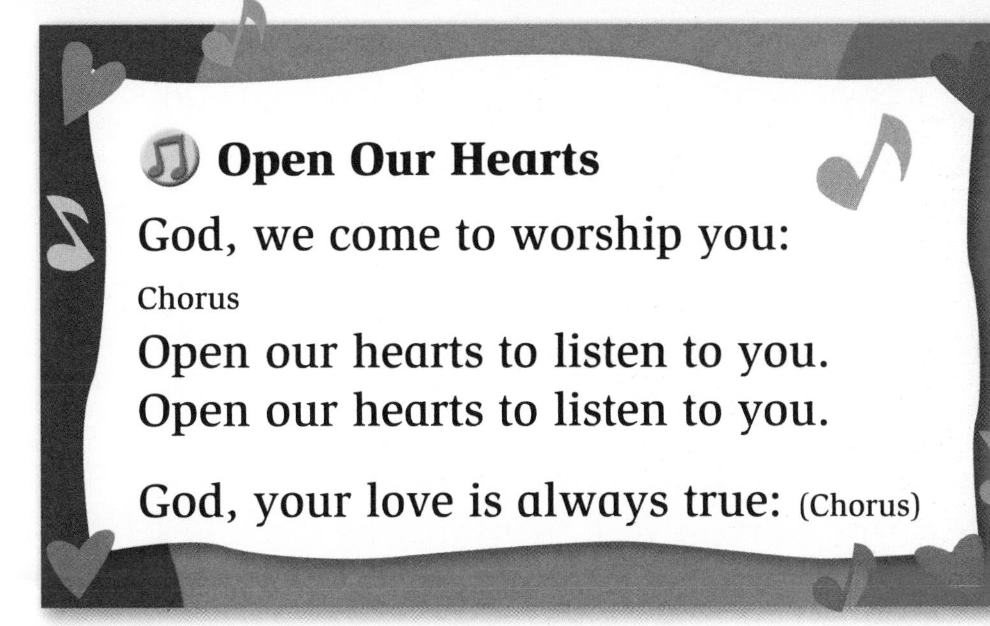

We work together as a parish.

The leader of a parish is called the **pastor**. The pastor is a priest. The pastor leads us in worship. He teaches us about Jesus. He helps us to care for one another. Sometimes the parish has a deacon. He helps the pastor.

Other leaders in the parish work with the pastor, too. Together they help the parish family. Some help us to worship God. Some teach us about God. Some work with us to care for those who are sick or in need.

As Catholics...

Catechists teach the Catholic faith to the children, youth, and adults of the parish. They are very important people in the parish. They teach about Jesus and the Church. They help us to be friends and followers of Jesus.

Who teaches you about the Catholic faith?

Habla de las formas en que puedes agradecer a tu párroco y a los que le ayudan.

Nuestra parroquia ayuda a mucha gente.

Pasamos tiempo con nuestra familia parroquial. Ayudamos a gente de nuestra parroquia que está en necesidad.

Nuestra parroquia también ayuda a otras personas. Reunimos comida y ropa para los pobres. Enviamos dinero a los necesitados.

Nuestra parroquia cuida de los enfermos. Algunas personas van a visitarlos. Rezamos por ellos.

Vocabulario

parroquia es un grupo de católicos que comparte el amor de Dios

alabar es adorar a Dios y darle gracias

párroco es el sacerdote que dirige una parroquia

RESPONDEMOS

Subraya algo que harás para ayudar a tu parroquia esta semana.

- Cantar y rezar.
- Rezar por mi parroquia.
- Ser amable y amistoso.

Juntos recen por todos los necesitados.

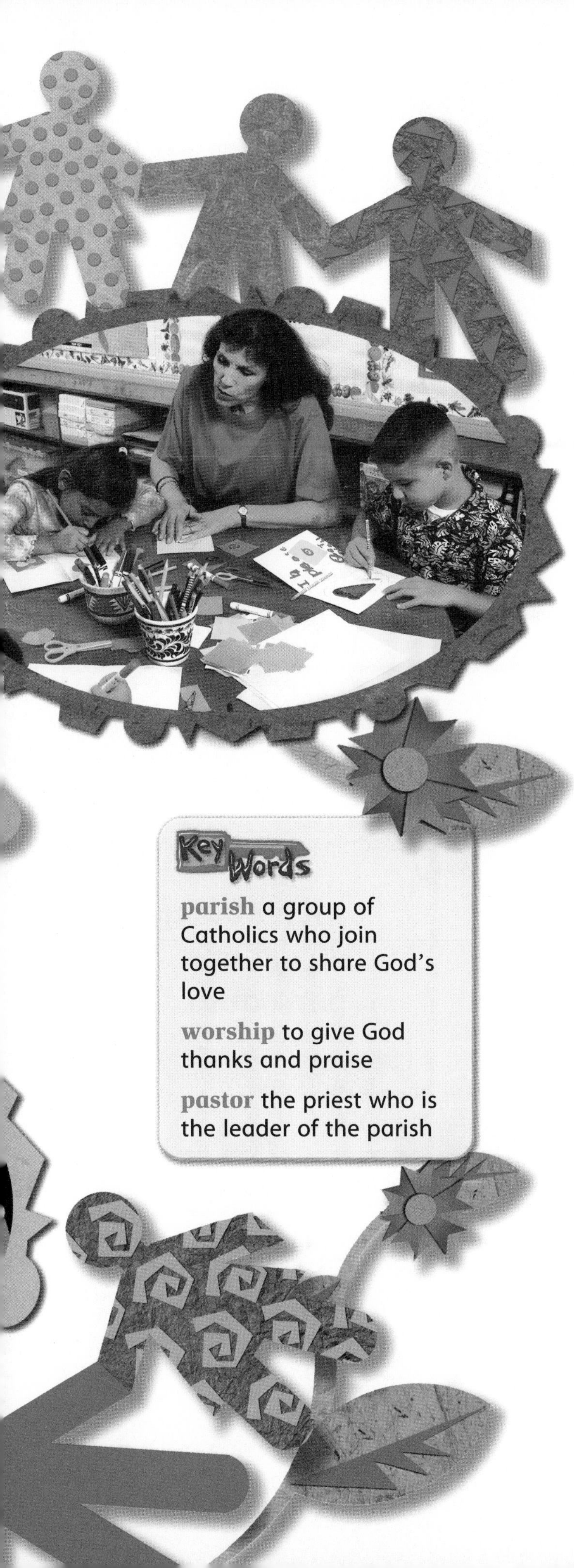

Key Words

parish a group of Catholics who join together to share God's love

worship to give God thanks and praise

pastor the priest who is the leader of the parish

Talk about ways you can thank your pastor and the people who help him.

Our parish helps many people.

We spend time with our parish family. We help people of our parish who are in need.

Our parish helps other people, too. We gather food and clothes for those who are poor. We send money to those who are in need.

Our parish cares for those who are sick. People visit them. We pray for them.

WE RESPOND

Circle one way you will help your parish this week.

- Join in singing and praying.
- Pray for my parish.
- Be kind and friendly.

Together say a prayer for all those who are in need.

HACIENDO DISCÍPULOS

Muestra lo que sabes

Traza líneas para aparear las palabras del Vocabulario en los pedazos del rompecabezas.

párroco •	• adorar a Dios y darle gracias
parroquia •	• sacerdote que dirige una parroquia
alabar •	• un grupo de católicos que comparte el amor de Dios

PROJECT DISCIPLE

Show What you Know

Draw a line to match the Key Words puzzle pieces.

pastor	to give God thanks and praise
parish	the priest who is the leader of the parish
worship	a group of Catholics who join together to share God's love

HACIENDO DISCIPULOS

Piensa en las personas de tu parroquia. Contesta cada pregunta.

¿Quién te ayuda a alabar a Dios?	¿Quién te enseña sobre Dios?	¿Quién cuida de los que necesitan ayuda?

RETO PARA EL DISCIPULO Da gracias a esas personas por el trabajo especial que hacen.

Realidad

¿En qué se parece tu parroquia a tu familia?

- ❑ Estamos juntos.
- ❑ Nos ayudamos.
- ❑ Compartimos el amor de Dios.
- ❑ Rezamos juntos.

Algunas personas no tienen hogares o trabajos. Esas personas necesitan alimentos. Muchas familias se unen en las parroquias para ayudar a esas personas. Algunas cocinan y sirven comida para los que vienen a la cocina popular. Otras recolectan comida para los necesitados ¿Cómo puede tu familia ayudar a los que tienen hambre?

PROJECT DISCIPLE

Make it Happen

Think about the people in your parish. Answer each question.

Who helps you worship God?	Who teaches you about God?	Who cares for those who need help?

DISCIPLE CHALLENGE Thank these people for the special work they do.

Reality Check

How is your parish like a family?

- ❑ We belong together.
- ❑ We help each other.
- ❑ We share God's love.
- ❑ We pray together.

Take Home

Some people do not have homes or jobs. These people need food. Many parish families join together to help people who are hungry. Some cook and serve meals to people who come to eat at a soup kitchen. Some collect food for the hungry. How can your family help people who are hungry?

Celebramos los sacramentos

NOS CONGREGAMOS

✝ **Líder:** Hay muchos signos del amor de Dios por nosotros. Vemos el amor de Dios en sus regalos en la creación y en cada uno de nosotros. Jesús es el mayor signo del amor de Dios. El comparte la vida y el amor de Dios. Celebremos el amor de Dios por nosotros.

Con amor jovial/With Rejoicing Hearts

Con amor jovial,
te glorificamos.
Tu cariño ha sido evidente ayer.
Y al trabajar juntos, mano a mano,
compartimos sueños del plan celestial.
Siempre fieles a tu amor
traeremos tu reino a luz.

¿Qué tiempo especial celebra tu familia?

CREEMOS

Jesús celebró el amor de Dios.

Jesús celebró tiempos especiales con sus familiares y amigos. El celebró las fiestas judías.

We Celebrate the Sacraments

WE GATHER

✝ **Leader:** There are many signs of God's love for us. We see God's love in his gifts of creation and in one another. Jesus is the greatest sign of God's love. He shares God's life and love with us. Let us celebrate God's love for us.

♫ **Con amor jovial/With Rejoicing Hearts**

With rejoicing hearts
we proclaim your glory;
we have known the fruit of your grace in the past.
Working hand in hand,
we become your story;
and we share the dreams and the visions
you've cast.
Ever faithful to your love,
we will bring your kingdom to light.

What special times does your family celebrate?

WE BELIEVE

Jesus celebrated God's love.

Jesus celebrated special times with his family and friends. He celebrated Jewish feasts.

El se reunió con otros a adorar a Dios. Juntos celebraron el amor de Dios. Juntos rezaron con cantos de alabanzas.

Este es uno de esos cantos de alabanza:

Salmo 100:1–2

"¡Canten al Señor con alegría,
habitantes de toda la tierra!
Con alegría adoren al Señor;
¡con gritos de alegría vengan
a su presencia!"

Algunas veces rezamos estas palabras cuando alabamos a Dios en una iglesia.

Juntos recen este salmo de alabanza. Gesticulen cuando oren.

Celebramos el amor de Dios.

Nos reunimos con nuestra familia parroquial a alabar juntos. Damos gracias a Dios por enviarnos a su Hijo. Recordamos las cosas que Jesús hizo y dijo. Pedimos al Espíritu Santo que nos ayude.

Jesus gathered with others to worship God. Together they celebrated God's love. Together they prayed songs of praise.

Here is one of these songs of praise.

Psalm 100:1–2

"Shout joyfully to the LORD, all you lands;
worship the LORD with cries of gladness;
come before him with joyful song."

Sometimes we pray these words when we worship God as a parish.

Pray together the song of praise above. Make up actions for the prayer.

We celebrate God's love.

We gather with our parish family to worship together. We thank God for sending his Son. We remember the things that Jesus said and did. We ask the Holy Spirit to help us.

Cuando adoramos, rezamos con cantos especiales, palabras y gestos. Rezamos aleluya y amén.

Cuando adoramos juntos a Dios, le pedimos que esté con nosotros. Escuchamos la palabra de Dios.

Dibújate alabando a Dios en tu parroquia.

Jesús nos dio los sacramentos.

Jesús, el Hijo de Dios, quiere que cada uno de nosotros comparta la vida de Dios. Por eso nos dio siete signos especiales de la vida y el amor de Dios. Estos signos especiales que nos dio Jesús son los sacramentos. **Sacramento** es un signo especial dado por Jesús.

Nos reunimos con nuestra familia parroquial para celebrar los sacramentos. Jesús está con nosotros cada vez que celebramos.

Como católicos...

Usamos los dones de la creación de Dios durante la celebración de los sacramentos. Por ejemplo, el agua y el aceite son usados para bendecirnos. La luz de las velas nos recuerda que Jesús está con nosotros. El pan hecho de trigo y el vino de uvas también se usan.

Con tu familia da gracias a Dios por todo lo que nos ha dado.

When we worship, we pray with special songs, words, and actions. We pray Alleluia and Amen.

When we worship God together, we ask God to be with us. We listen to God's Word.

Draw yourself worshiping God with your parish.

Jesus gave us the sacraments.

Jesus, the Son of God, wants each of us to share in God's life. So he gave us seven special signs of God's life and love. The seven special signs Jesus gave us are called sacraments. A **sacrament** is a special sign given to us by Jesus.

We gather with our parish family to celebrate the sacraments. Jesus is with us each time we celebrate.

As Catholics...

We use the gifts of God's creation during the celebration of the sacraments. For example, water and oils are used to bless us. Light from candles reminds us that Jesus is with us. Bread made from wheat and wine made from grapes are used, too.

With your family, thank God for all he has given us.

Habla de las formas en que puedes dar gracias a Jesús por darnos los sacramentos.

Vocabulario

sacramento es un signo especial dado por Jesús

La Iglesia celebra siete sacramentos.

La Iglesia celebra siete sacramentos. Jesús comparte la vida de Dios con nosotros en cada uno de los sacramentos: Bautismo, Eucaristía, Confirmación, Penitencia y Reconciliación, Unción de los enfermos, Orden Sagrado y Matrimonio.

RESPONDEMOS

Hablen sobre los sacramentos que se están celebrando en cada una de las ilustraciones en estas páginas.

Encierra en un círculo cualquier sacramento que hayas recibido.

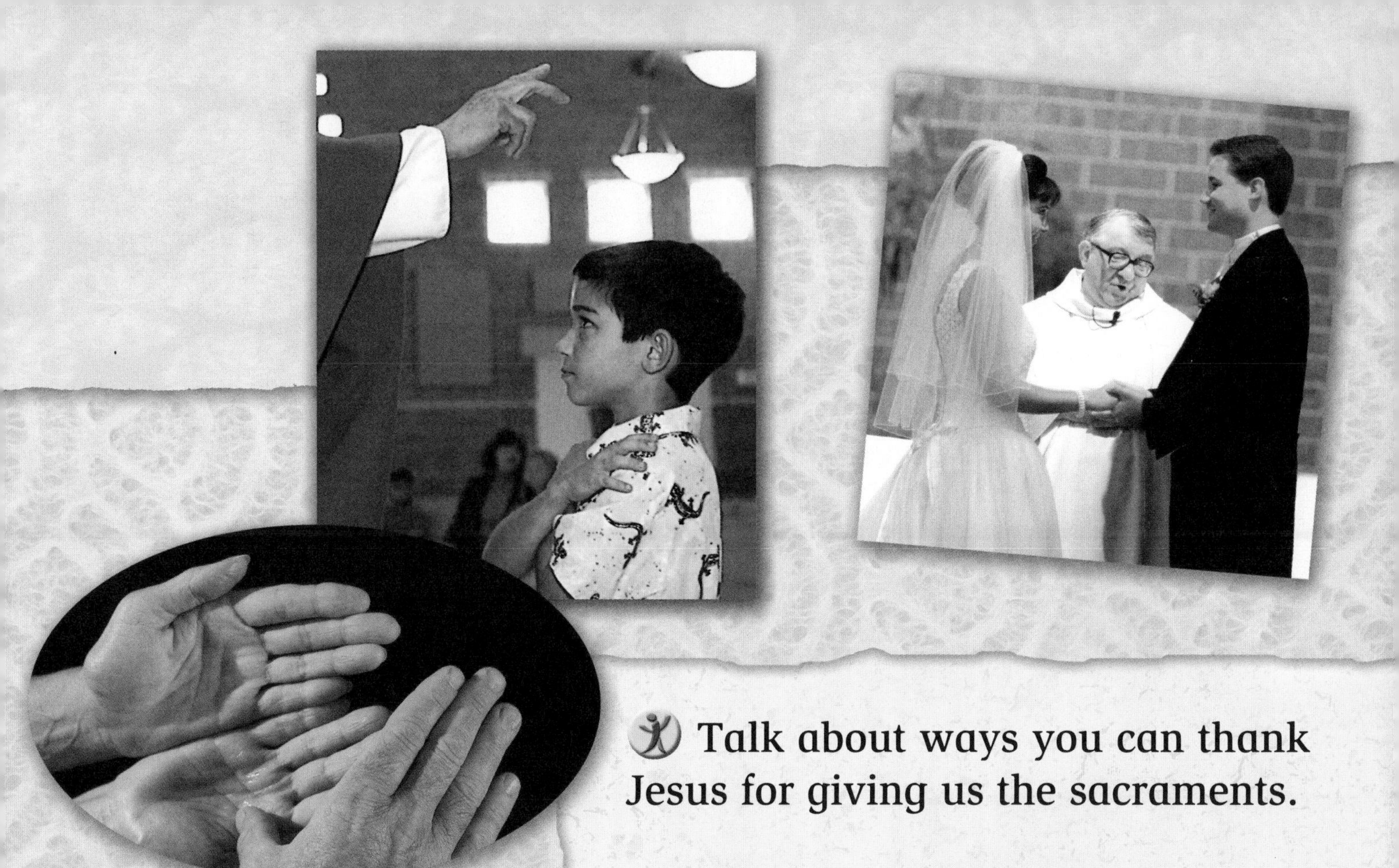

Talk about ways you can thank Jesus for giving us the sacraments.

The Church celebrates Seven Sacraments.

The Church celebrates Seven Sacraments. Jesus shares God's life with us in each of the sacraments: Baptism, Eucharist, Confirmation, Penance and Reconciliation, Anointing of the Sick, Holy Orders, and Matrimony.

WE RESPOND

Talk about what sacrament is being celebrated in each picture on these pages.

Circle the sacrament you have received.

Key Word

sacrament a special sign given to us by Jesus

HACIENDO DISCÍPULOS

Muestra lo que sabes

Vuelve a ver el capítulo y dibuja un ☐ alrededor de la palabra del Vocabulario sacramento.

Exprésalo

Aparea la foto con el nombre del sacramento.

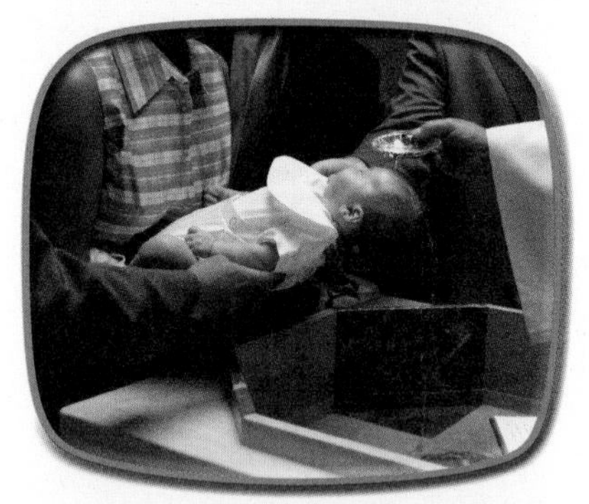

- **Penitencia y Reconciliación**
- **Matrimonio**
- **Bautismo**

PROJECT DISCIPLE

Show What you Know

Go back in your chapter and draw a ☐ around the Key Word sacrament.

Picture This

Match the picture of the sacrament to its name.

● Penance and Reconciliation

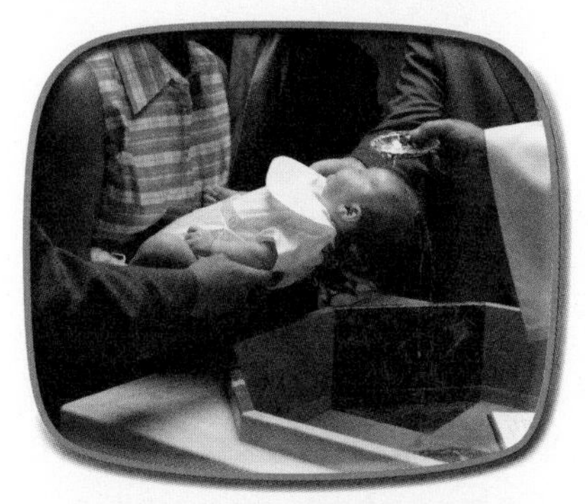

● Matrimony

● Baptism

HACIENDO DISCÍPULOS

Muestra este cuadro a tus amigos y familiares. Pregunta a cada persona: ¿cuál es tu forma favorita de celebrar a Dios? Cada vez que alguien nombre una de las acciones, pon un ✔ en el espacio.

cantando	rezando	escuchando	reuniéndome

RETO PARA EL DISCIPULO Cuenta los ✔ en cada cuadro. ¿Cuál es la acción más popular?

Puedes celebrar el amor de Dios en la misa cada semana.

Tarea

Algunas personas usan sus talentos para escribir canciones de alabanzas y gracias a Dios. Cantamos esas canciones cuando nuestra parroquia se reúne para adorar a Dios. Cantamos esas canciones cuando celebramos los sacramentos. La próxima vez que asistas a misa, pon atención a los cantos de alabanza y gracias a Dios. Canta con la asamblea.

PROJECT DISCIPLE

Show this chart to friends and family members. Ask each person, "Which is your favorite way to celebrate God's love?" Each time someone names one of the actions, put a mark in the space below it.

sing	pray	listen	gather

DISCIPLE CHALLENGE Count up the marks in each box. Which action is the most popular?

You can celebrate God's love at Mass every week.

Take Home

Some people use their talent to write songs of praise and thanks to God. We sing some of these songs when our parish family gathers to worship God. We sing these songs when we celebrate the sacraments. The next time you are at Mass, listen for these songs of praise and thanks to God. Join in the singing!

La Iglesia acoge nuevos miembros

NOS CONGREGAMOS

✝ **Líder:** Dios Padre.

Todos: Te alabamos.

Líder: Jesús, Hijo de Dios.

Todos: Muéstranos como vivir.

Líder: Dios Espíritu Santo.

Todos: Ayúdanos todos los días.

¿Qué hacen las familias para dar la bienvenida a los bebés?

CREEMOS

La Iglesia acoge a nuevos miembros con el Bautismo.

Bautismo es el sacramento que nos hace hijos de Dios y miembros de la Iglesia. El Bautismo es el primer sacramento que recibimos.

Cuando somos bautizados, nos hacemos hijos de Dios, nos hacemos miembros de la Iglesia. Celebramos el Bautismo con nuestra familia parroquial. Ellos nos acogen en la Iglesia.

Habla sobre por qué crees que el Bautismo es importante.

The Church Welcomes New Members

WE GATHER

✝ **Leader:** God the Father,

All: We praise you.

Leader: Jesus, Son of God,

All: Show us how to live.

Leader: God the Holy Spirit,

All: Help us each day.

What do families do to welcome new babies?

WE BELIEVE

The Church welcomes new members at Baptism.

Baptism is the sacrament in which we become children of God and members of the Church. Baptism is the first sacrament we receive.

When we were baptized, we became children of God. We became members of the Church, too. We celebrated Baptism with our parish family. They welcomed us into the Catholic Church.

Talk about why you think Baptism is so important.

Durante el Bautismo recibimos la vida de Dios.

El agua es un signo importante del Bautismo. Durante el sacramento somos colocados dentro de una tina o se derrama agua sobre nuestras cabezas.

Esto sucede en un lugar especial en la iglesia. Este lugar es llamado pila o fuente bautismal.

El agua es un signo de la vida que Dios nos da. Durante el Bautismo Dios comparte con nosotros su vida. Esto es llamado **gracia**.

La gracia nos ayuda a crecer como hijos de Dios. Nos ayuda a crecer como seguidores de Jesús.

El agua nos recuerda nuestro bautismo. Colorea el agua en esta página.

Como católicos...

El sacramento del Bautismo sólo lo recibimos una vez. Algunas personas son bautizadas cuando bebés. Otras son bautizadas cuando son mayores. Niños mayores, adolescentes o adultos, generalmente son bautizados en una celebración en la noche del Sábado Santo.

¿Qué edad tenías cuando te bautizaron?

At Baptism we receive God's life.

Water is an important sign of Baptism. During the sacrament we are placed in water, or water is poured on us.

This happens in a special place in our parish church. This place is called the baptismal pool or font.

Water is a sign of the life God gives us. At Baptism God gives us a share in his life. We call God's life in us **grace**.

Grace helps us to grow as God's children. It helps us to grow as followers of Jesus.

Water reminds us of our Baptism. Color the water.

As Catholics...

We receive the Sacrament of Baptism once. Some people are baptized when they are babies. Others are baptized when they are older. Older children, teenagers, or adults are usually baptized at a celebration on the night before Easter Sunday.

How old were you when you were baptized?

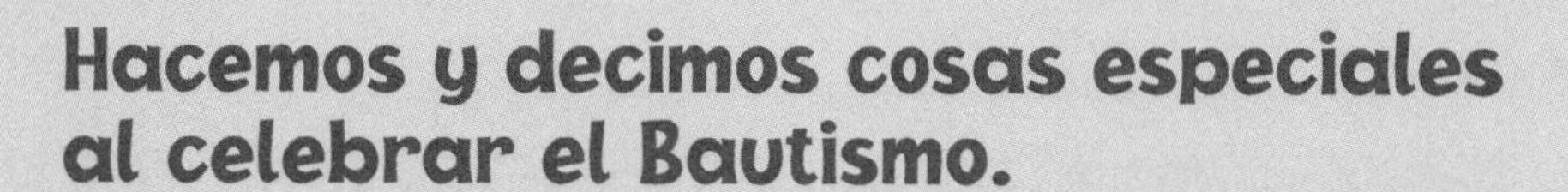

Hacemos y decimos cosas especiales al celebrar el Bautismo.

La Iglesia celebra el Bautismo con palabras y gestos especiales.

Lee conmigo

El bautismo de Leo

El padre Marcos da la bienvenida a la familia López. Ellos traen a Leo para ser bautizado.

El padre Marcos traza la señal de la cruz en la frente de Leo. Los padres y los padrinos también. Esto muestra que Leo será un seguidor de Jesús.

El sacerdote derrama agua tres veces en la cabeza de Leo. El dice las palabras del Bautismo:

> Leo, yo te bautizo en el nombre del Padre,
> y del Hijo, y del Espíritu Santo.

Cada uno de nosotros ha sido bautizado con agua y con estas palabras.

Habla de lo que te gustaría preguntar a tu familia acerca de la celebración del Bautismo.

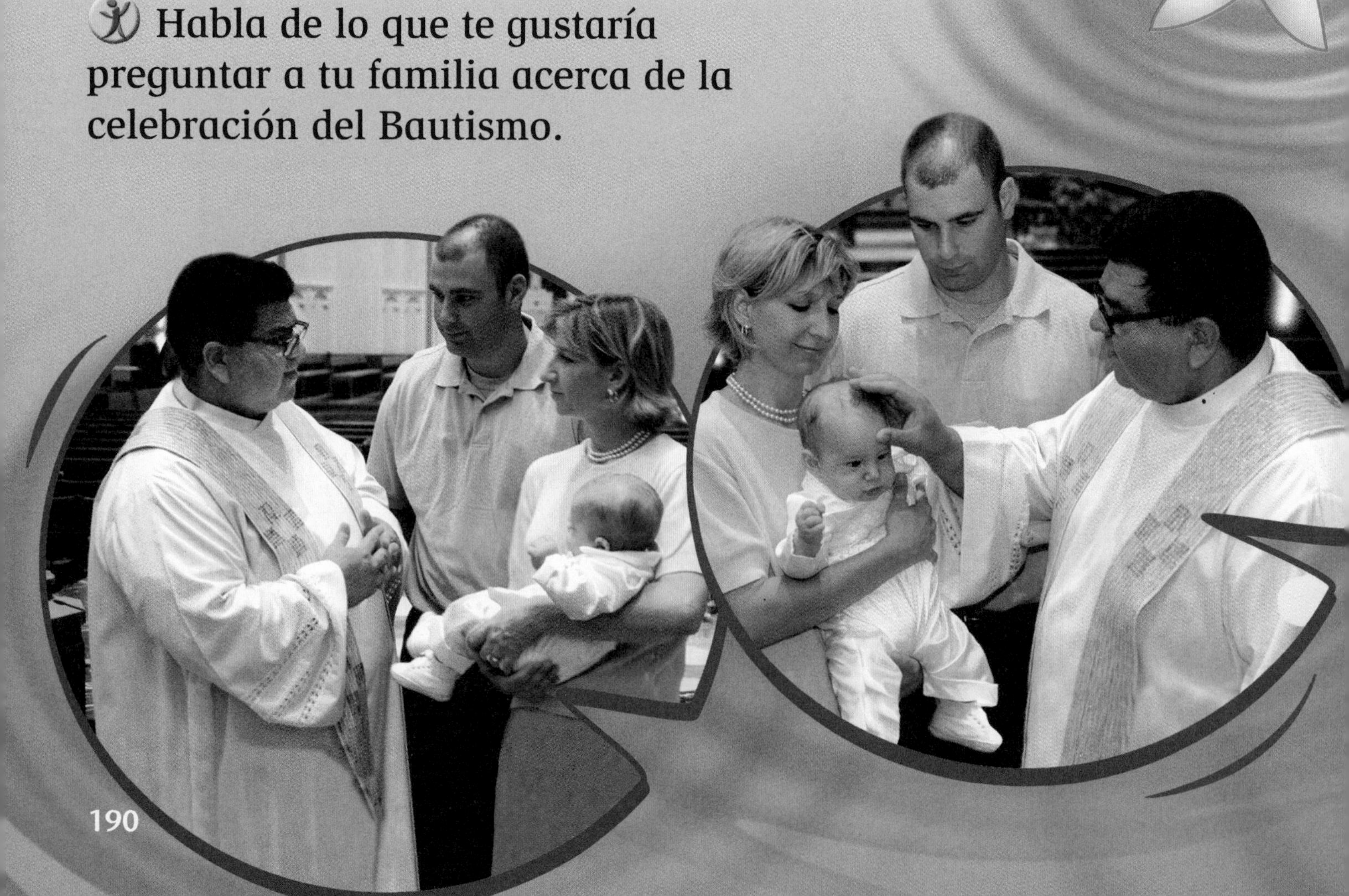

We say and do special things to celebrate Baptism.

The Church celebrates Baptism with special words and actions.

Read Along

Leo's Baptism

Father Marcos welcomes the López family.
They bring baby Leo to celebrate the Sacrament of Baptism.

Father Marcos traces the sign of the cross on Leo's forehead. Leo's parents and godparents do it, too. This shows that Leo will be a follower of Jesus.

Father Marcos pours water on Leo's head three times. He says the words of Baptism:

> Leo, I baptize you in the name of the Father,
> and of the Son,
> and of the Holy Spirit.

Each of us was baptized with water and these words, too.

Talk about what you would like to ask your family about the celebration of your Baptism.

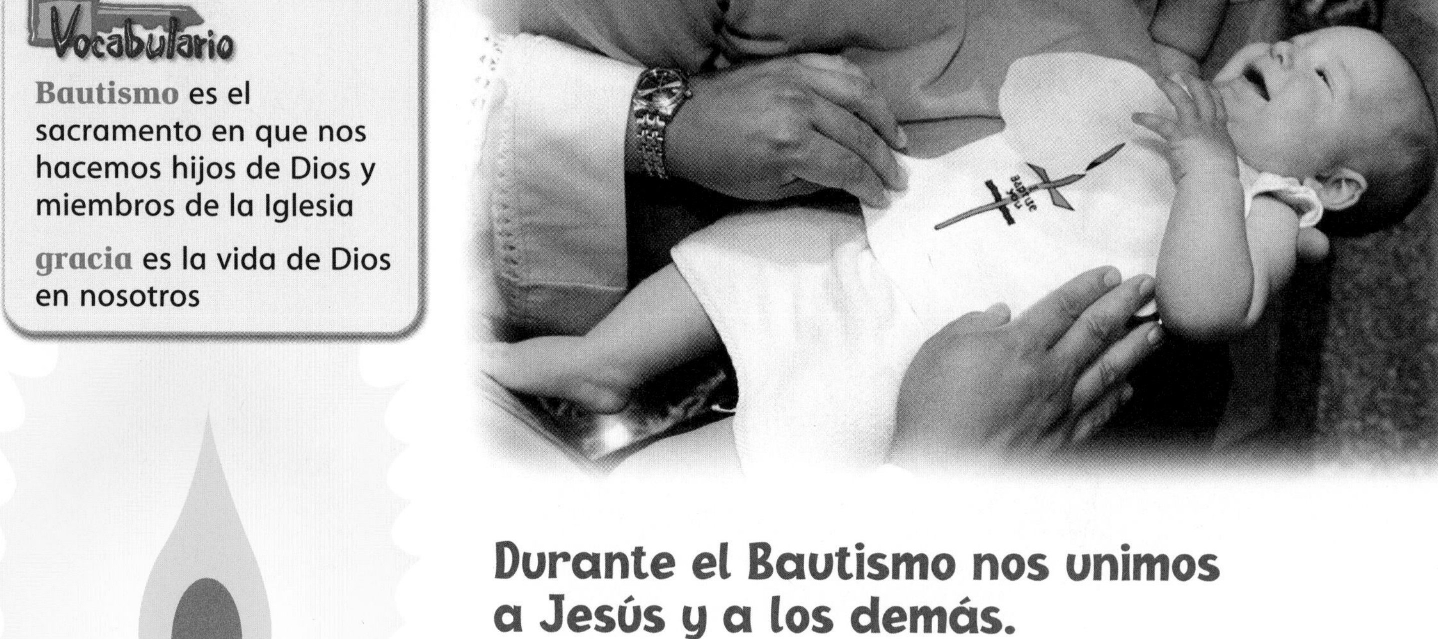

Vocabulario

Bautismo es el sacramento en que nos hacemos hijos de Dios y miembros de la Iglesia

gracia es la vida de Dios en nosotros

Durante el Bautismo nos unimos a Jesús y a los demás.

Lee conmigo

Leo fue vestido de blanco. El sacerdote rezó para que Leo viva como seguidor de Jesús.

A la familia de Leo se le dio una vela. El sacerdote rezó para que Leo camine siempre en la luz de Cristo.

Todos rezaron el Padrenuestro.

Estas mismas palabras y gestos fueron parte de la celebración de nuestro bautismo.

Como miembros bautizados de la Iglesia nos ayudamos unos a otros a seguir a Jesús. Compartimos la vida de Dios. Compartimos nuestras creencias.

Caminaré en la luz de Cristo.

RESPONDEMOS

¿Qué harás para vivir como seguidor de Jesús?

 Decora la vela.

Baptism the sacrament in which we become children of God and members of the Church

grace God's life in us

In Baptism we are joined to Jesus and one another.

Read Along

A white garment was put on Leo. Father Marcos prayed that Leo would always live as a follower of Jesus.

A candle was given to Leo's family. Father prayed that Leo would always walk in the light of Christ.

Everyone prayed the Lord's Prayer.

These same words and actions were part of the celebration of our Baptism.

As baptized members of the Church, we help one another to follow Jesus. We share in God's life together. We share our beliefs.

WE RESPOND

What will you do to live as a follower of Jesus?

Decorate the candle.

HACIENDO DISCÍPULOS

Bautismo
gracia

Muestra lo que sabes

Usa las palabras del Vocabulario para completar el crucigrama.

1 Horizontal: la vida de Dios en nosotros

2 Vertical: sacramento en que nos hacemos hijos de Dios y miembros de la iglesia

Decora la bandera de bautismo para dar la bienvenida a nuevos miembros de la Iglesia. Usa fotos y palabras.

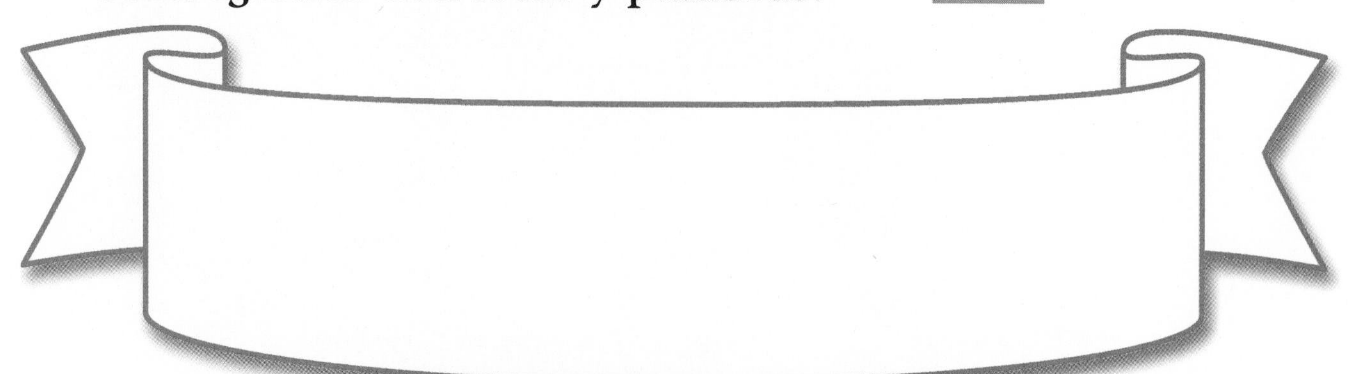

RETO PARA EL DISCIPULO Aprende más sobre tu bautismo. Pregunta a tus padres o padrinos.

PROJECT DISCIPLE

Show What you Know

Baptism

grace

Use the Key Words to complete the puzzle.

1 Across: God's life in us

2 Down: The sacrament in which we become children of God and members of the Church

Celebrate!

Decorate a Baptism banner to welcome a new member of the Church. Use pictures and words.

DISCIPLE CHALLENGE Learn more about your own Baptism. Ask your parents and godparents.

HACIENDO DISCIPULOS

Exprésalo

Numera las fotos del bautismo de Leo y ponlas en orden. Dos están dadas.

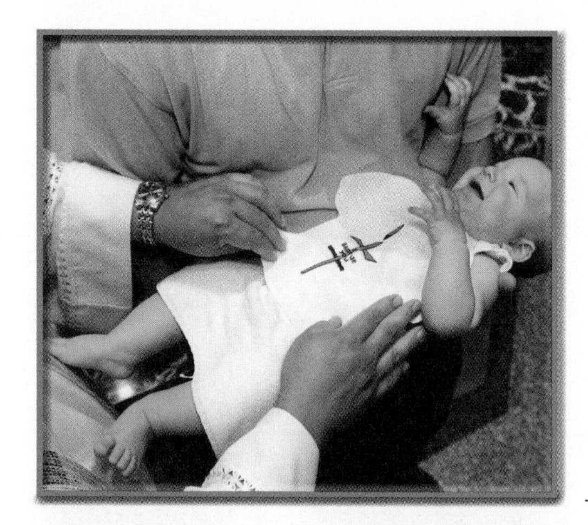

3 ____

____

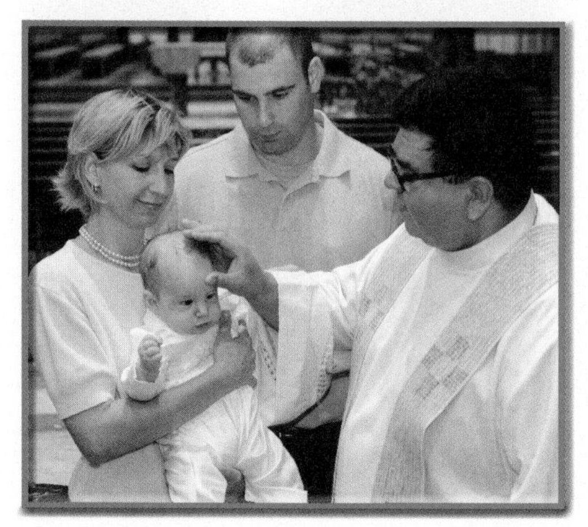

1 ____

____

Tarea

El agua bendita es el agua que ha sido bendecida por un sacerdote. El sacerdote con su mano hace la señal de la cruz sobre el agua. El dice una oración especial. El agua bendita se mantiene en un lugar especial en la iglesia. Junto con tu familia busquen el agua bendita en su parroquia.

PROJECT DISCIPLE

Picture This

Number the pictures of Leo's Baptism to put them in order. Two are done for you.

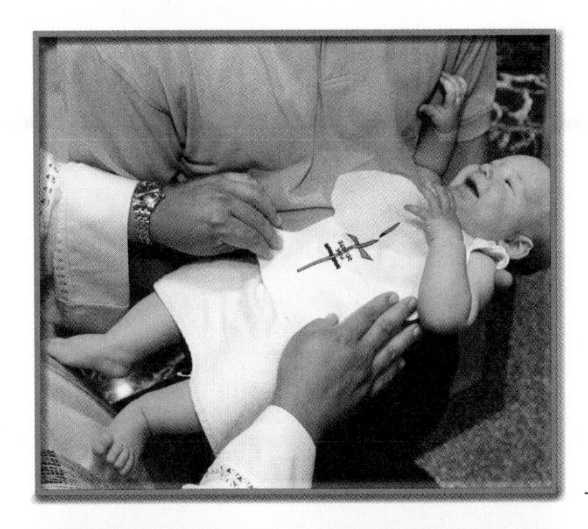

3

____

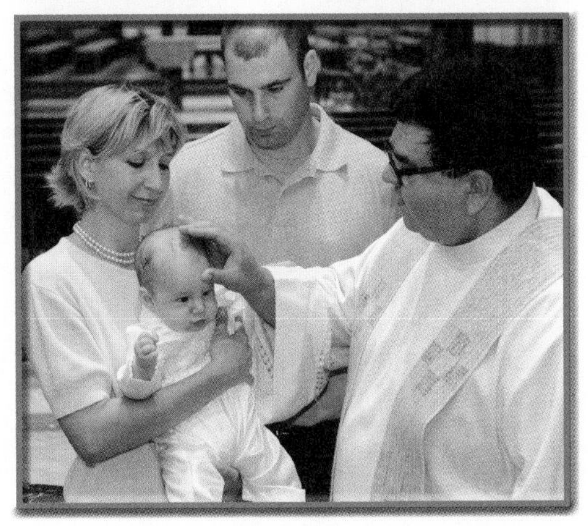

1

____

Take Home

Holy water is water that has been blessed by a priest. The priest traces a cross over the water with his hand. He says a special prayer. Holy water is kept in a special container in church. With your family, find the holy water in your parish church.

Seguimos a Jesús

NOS CONGREGAMOS

✝ **Líder:** Vamos a escuchar la palabra de Dios.

 Juan 8:12

Lee conmigo

Un día Jesús estaba hablando a la gente. El les dijo: "Yo soy la luz del mundo; el que me sigue, tendrá la luz que le da vida, y nunca andará en la oscuridad".

♫ Somos una Iglesia

Un solo Señor, un solo Señor.
Un mismo espíritu,
un mismo espíritu.
Somos una Iglesia.

 ¿Cómo te ayuda la luz?

CREEMOS

Jesús es la Luz del Mundo.

Creemos que Jesús es la Luz del Mundo. El nos ayuda a ver como es el amor de Dios. El comparte la vida de Dios con nosotros.

Jesús quiere que lo sigamos. Si lo seguimos, tendremos vida en Dios.

We Are Followers of Jesus

WE GATHER

 **Leader:** Let us listen to the Word of God.

John 8:12

Read Along

One day Jesus was talking to a crowd. He said to them, "I am the light of the world. Whoever follows me will not walk in darkness, but will have the light of life."

Walk in the Light

Jesus is the Light for all:
Walk, walk in the light!
We follow him as we hear his call.
Walk, walk in the light!
Walk, walk in the light! (Sing 3 times.)
Walk in the light of the Lord!

 How does light help us?

WE BELIEVE

Jesus is the Light of the World.

We believe that Jesus is the Light of the World. He helps us to see what God's love is like. He shares God's life with us.

Jesus wants us to follow him. If we follow him, we will have life with God.

Haz un dibujo mostrando que Jesús es la Luz del Mundo.

Recibimos la luz de Cristo.

Cuando nos bautizamos recibimos la luz de Cristo. Se nos dice: "camina siempre como hijo de la luz".

Como hijos de la luz:

- creemos en Jesús
- actuamos como Jesús quiere
- nos amamos unos a otros.

Mostramos a los demás la luz de Cristo cuando:

- ayudamos a nuestros familiares y amigos
- compartimos lo que tenemos con otros
- nos preocupamos de cómo se sienten los otros.

Habla sobre como las personas en las ilustraciones comparten la luz de Cristo.

Draw a picture to show that Jesus is the Light of the World.

We receive the light of Christ.

When we are baptized, we receive the light of Christ. We are told to "walk always as children of the light."

As children of the light we:

- believe in Jesus
- act as Jesus wants us to
- love one another.

We show others the light of Christ when we:

- help our family and friends
- share what we have with others
- care about the ways others feel.

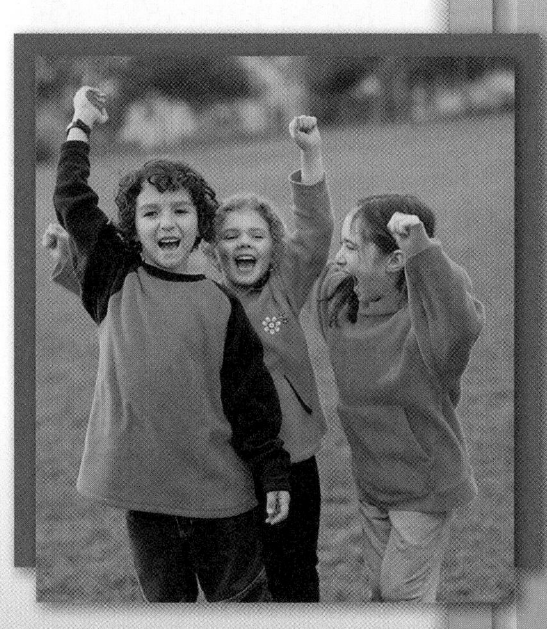

Talk about ways the people in the photos are sharing the light of Christ.

Jesús nos pide compartir su paz.

Jesús quiere que sus seguidores tengan paz. El quiere que ellos vivan en el amor de Dios. El quiere que ellos se muestren amor.

 Mateo 5:1, 9

Lee conmigo

Un día Jesús fue a una montaña. El habló a mucha gente. El les dijo como vivir como hijos de Dios. El dijo: "Dichosos los que procuran la paz, pues Dios los llamará hijos suyos". (Mateo 5:9)

Jesús quiere que trabajemos por la paz. Una persona que trabaja por la paz es un **pacificador**.

Somos pacificadores cuando hacemos cosas buenas por los demás. Trabajamos por la paz cuando tratamos de llevarnos bien con todo el mundo.

Dramatiza una forma en que puedes compartir la paz con los demás.

Como católicos...

José Sarto nació en Italia. Cuando crecía, él trató de ser amable con todos.

El estudió y se hizo sacerdote. Años más tarde fue escogido papa. Se llamó Papa Pío X. El Papa Pío X escuchó que muchos países se iban a la guerra. El trató de ser un pacificador. El se reunió con líderes de esos países. El trató de convencerlos de que no pelearan. El Papa Pío X quería que todos los países se llevaran bien.

¿Quiénes son las personas en nuestro mundo que trabajan por la paz?

Jesus asks us to share his peace.

Jesus wanted his followers to be at peace. He wanted them to live in God's love. He wanted them to show love for one another.

 Matthew 5:1, 9

Read Along

One day Jesus went up a mountain. There he spoke to many people. He told them how to live as God's children. He said,
"Blessed are the peacemakers,
for they will be called children of God."
(Matthew 5:9)

Jesus wants us to work for peace. A person who works for peace is a **peacemaker**.

We are peacemakers when we say and do kind things for others. We work for peace when we try to get along with all people.

Act out one way you can share peace with one another.

As Catholics...

Guiseppe Sarto was born in Italy. When he was growing up, he tried to be kind to all people.

He studied and became a priest. Years later he was chosen to be the pope. He was called Pope Pius X. Pope Pius X heard that many countries were going to have a war. He tried to be a peacemaker. He met with the leaders of these countries. He tried to stop them from fighting. Pope Pius X wanted all countries to get along.

Who are other people in our world who work for peace?

Podemos tomar decisiones como hijos de Dios.

Dios nos ama mucho. Somos diferentes del resto de su creación. Somos especiales. Podemos tomar decisiones.

Algunas veces tomamos decisiones sin antes pensar. Pero Dios quiere que pensemos sobre las cosas que hacemos y decimos.

Dios nos pide escoger amarlo y amar a los demás. El quiere que escojamos hacer lo que Jesús nos enseñó.

RESPONDEMOS

Encierra en un círculo una decisión tomada con amor.
Quieres usar el libro de tu hermana.

- Escoges preguntar a tu hermana.
- Escoges tomar el libro sin pedirlo.

Habla sobre lo que piensas. ¿Es siempre fácil tomar decisiones con amor?

pacificador es una persona que trabaja por la paz

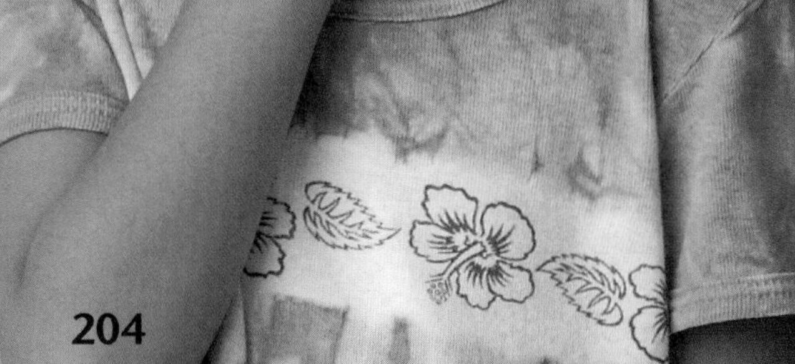

We can make choices as children of God.

God loves us very much. We are different from the rest of his creation. We are special. We can make choices.

Sometimes we make choices without even thinking about them. But God wants us to think about the things we say and do.

God asks us to choose to love him and others. He wants us to choose to do what Jesus taught us.

WE RESPOND

Circle the loving choice.
You want to use your sister's book.

- You choose to ask your sister.
- You choose to just take the book.

Talk about what you think.
Is it always easy to make loving choices?

peacemaker a person who works for peace

Muestra lo que sabes

¿Cómo se llama la persona que trabaja por la paz?

Exprésalo

Escribe en la vela tres formas en que puedes compartir la luz de Cristo.

PROJECT DISCIPLE

Show What you Know

Who is a person who works for peace?

Picture This

On the candle write three ways that you can share the light of Christ.

HACIENDO DISCÍPULOS

¿Qué harás?

Roberto y Rebeca están discutiendo en el parque. ¿Qué puedes hacer para que se contenten? Dibújate en el espacio en blanco.

Investiga

Trabaja con un compañero. ¿Quién es un pacificador en el mundo de hoy? Escribe el nombre de la persona o dibújala en el corazón.

Tarea

Las personas en todo el mundo se reúnen para compartir la luz de cristo rezando. Algunas personas sostienen velas u otro tipo de luz mientras rezan. Trata de hacer esto con tu familia. Reúnanse para rezar. Usen velas u otro tipo de luces. Mientras rezan recuerden que Jesús es la luz del mundo.

PROJECT DISCIPLE

What Would you do?

William and Rebecca are arguing in the playground. What could you do as a peacemaker? Add yourself to the picture.

More to Explore

Work with a friend. Who is a peacemaker in the world today? Write the person's name or draw a picture of the person in the heart.

Take Home

People all over the world gather to share Jesus' light by praying together. Sometimes people hold candles or other kinds of lights as they pray. Try this with your family. Gather together to pray. Use candles or other lights. As you pray, remember that Jesus is the Light of the World.

Celebramos el perdón de Dios

Nos congregamos

✝ **Líder:** Espíritu Santo, quédate con nosotros. Ayúdanos a pensar en formas en que podemos seguir a Jesús esta semana.

Todos: Espíritu Santo, ayúdanos.

¿Cómo muestras que perdonas a otros?

Creemos

Jesús nos habló sobre el perdón de Dios.

Jesús contó historias sobre el amor y el perdón de Dios. Esta es una:

Lucas 15:11–23

Lee conmigo

Un buen padre tenía dos hijos. Un día, el menor le pidió dinero. El hijo tomó el dinero y se fue de la casa. El gastó el dinero divirtiéndose.

Muy pronto se le terminó el dinero. El joven no tenía de que vivir ni que comer. El sabía que lo que había hecho había herido a su padre. El quería ir a su casa y decir a su padre lo arrepentido que estaba.

Cuando el joven estaba cerca de su casa, el padre corrió a encontrarlo. El lo abrazó. El estaba muy contento de volver a verlo. El hijo le dijo que estaba arrepentido. El padre dijo: "¡Vamos a comer y a hacer fiesta!" (Lucas 15:23)

We Celebrate God's Forgiveness

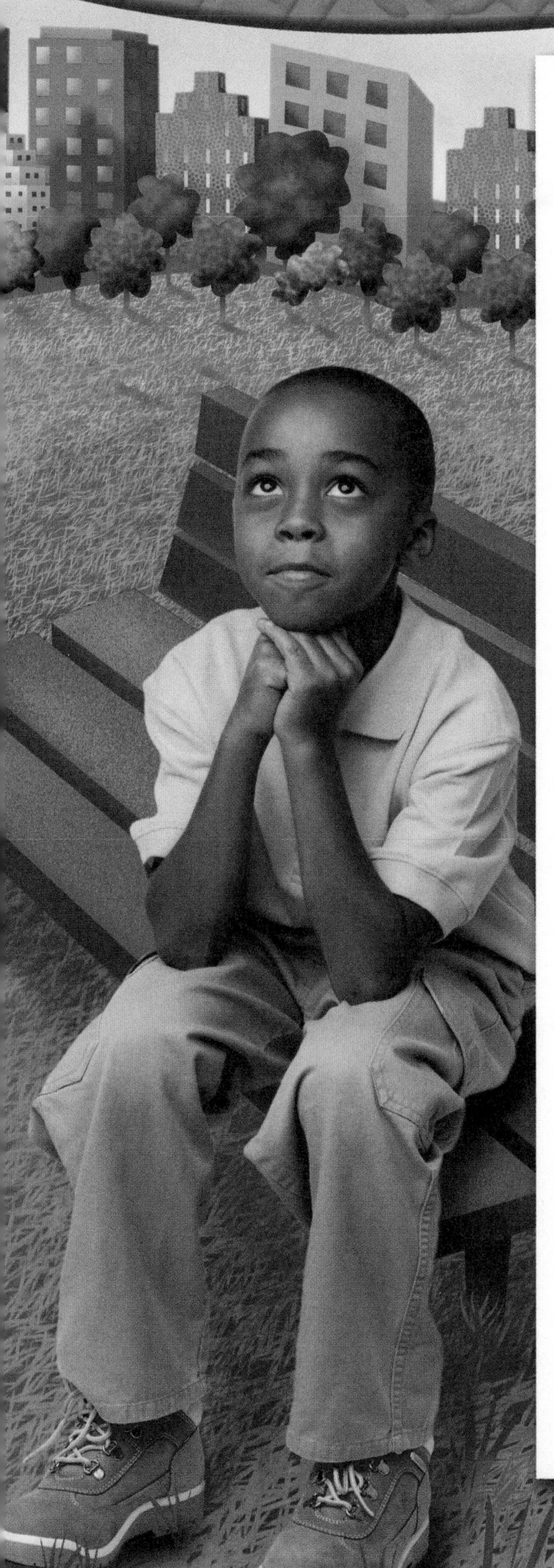

WE GATHER

✝ **Leader:** Holy Spirit, be with us now. Help us to think about ways we have or have not followed Jesus this week.

All: Holy Spirit, help us.

How do you show that you forgive others?

WE BELIEVE

Jesus told us about God's forgiveness.

Jesus told stories about God's love and forgiveness. Here is one story.

Luke 15:11–23

Read Along

A loving father had two sons. One day, the younger son asked his father for money. The son took the money and left home. He spent the money having fun.

Soon all the money was gone. The young man had nowhere to live and nothing to eat. He knew that what he had done had hurt his father. He wanted to go home and tell his father how sorry he was.

When the young man was near his home, his father ran out to meet him. He gave him a big hug. He was so glad to see his son again. The son told his father he was sorry. The father said, "Let us celebrate with a feast." (Luke 15:23)

Jesús contó esta historia para enseñarnos que Dios siempre nos ama. Dios es como el padre que perdona en esta historia.

¿Cómo te sentirías si fueras el padre de la historia?
¿Cómo te sentirías si fueras el hijo?

Dios siempre nos perdona.

Jesús cumplió con las leyes de Dios. El quiere que nosotros también las cumplamos.

Algunas veces escogemos no cumplir las leyes de Dios. Hacemos cosas que no muestran amor a Dios ni a los demás.

Jesús nos enseñó a pedir perdón a Dios. Dios siempre nos perdona si estamos arrepentidos.

La alegría en el perdón

La alegría más hermosa es
la alegría en el perdón,
que en el cielo hay mucha fiesta
cuando vuelve un pecador.

Si la oveja se ha perdido,
a buscarla va el pastor.
Que en el cielo hay mucha fiesta
cuando vuelve un pecador.

Jesus told this story to teach us that God always loves us. God is like the forgiving father in this story.

How would you feel if you were the father in the story?
How would you feel if you were the son?

God is always ready to forgive us.

Jesus followed God's laws. He wants us to follow God's laws, too.

Sometimes we choose not to follow God's laws. We do things that do not show love for God and others.

Jesus taught us to ask God to forgive us. God always forgives us if we are sorry.

Children of God

Chorus

Children of God in one family,
loved by God in one family.
And no matter what we do
God loves me and God loves you.

Jesus teaches us to love.
Sometimes we get it wrong.
But God forgives us ev'ry time
for we belong to the (Chorus)

Celebramos el perdón de Dios.

Jesús nos dio una forma para pedir perdón a Dios: el sacramento de la **Reconciliación**. Podemos llamar a este sacramento, sacramento de la Penitencia.

Lee conmigo

En este sacramento recibimos y celebramos el perdón de Dios. Hacemos esto:

- Pensamos en lo que hemos hecho y dicho. Nos arrepentimos de las veces que no hemos amado a Dios ni a los demás.
- Vamos donde el sacerdote.
- Escuchamos una historia de la Biblia sobre el perdón de Dios.
- Hablamos con el sacerdote sobre lo que hemos hecho. Decimos a Dios que estamos arrepentidos.
- El sacerdote comparte el perdón de Dios con nosotros.

Como católicos...

Generalmente celebramos el sacramento de la Reconciliación en nuestra iglesia parroquial. Hay un lugar especial en la iglesia donde nos reunimos con el sacerdote. Ahí podemos hablar con el sacerdote cara a cara o podemos hablar detrás de la cortina.

¿Dónde se celebra el sacramento de la Reconciliación en tu parroquia?

Habla sobre las formas en que podemos decir a Dios que estamos arrepentidos. Habla con tu familia sobre el amor y el perdón de Dios.

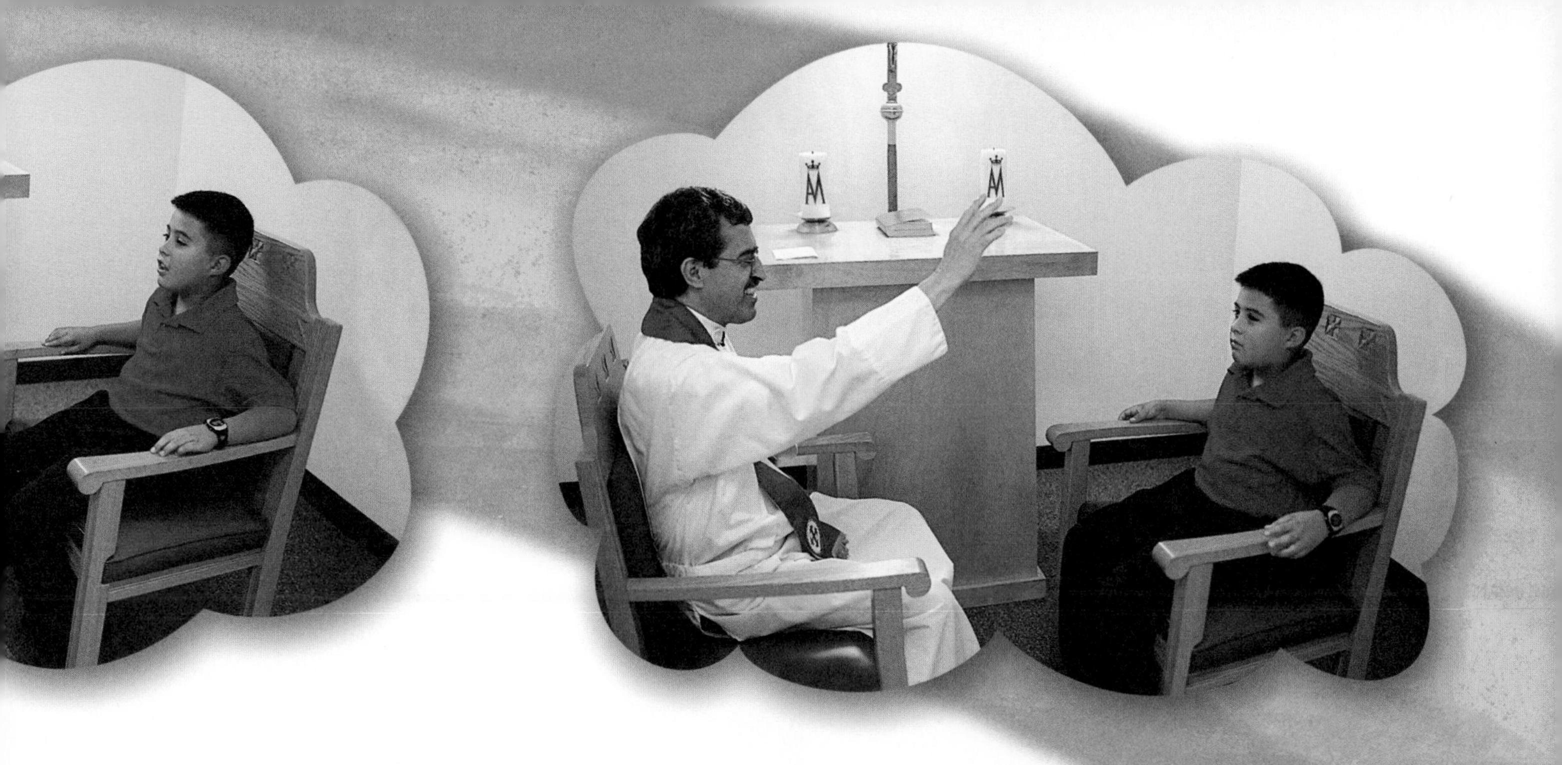

We celebrate God's forgiveness.

Jesus gave us a way to ask God for forgiveness. It is the Sacrament of **Penance and Reconciliation**. We can call this sacrament the Sacrament of Penance.

Read Along

In this sacrament we receive and celebrate God's forgiveness. We do these things:

- We think about what we have said and done. We are sorry for the times we have not loved God and others.
- We meet with the priest.
- We listen to a story from the Bible about God's forgiveness.
- We talk to the priest about what we have done. We tell God we are sorry.
- The priest shares God's forgiveness with us.

Talk about ways we can tell God we are sorry. Tell your family about God's love and forgiveness.

As Catholics...

We usually celebrate the Sacrament of Penance in our parish church. There is a special place in church where we meet with the priest. Here we can talk with the priest face-to-face, or we can talk from behind a screen.

Where is the Sacrament of Penance celebrated in your parish church?

Jesús nos pide perdonar a otros.

Cuando celebramos el sacramento de la Reconciliación, recibimos el perdón y la paz de Dios. Jesús dijo a sus seguidores que es importante perdonar a los demás. El quiere que nosotros compartamos la paz de Dios.

Vocabulario

Reconciliación sacramento por medio del cual recibimos y celebramos el perdón de Dios

RESPONDEMOS

Pide al Espíritu Santo te ayude a amar y a perdonar.

Lee conmigo

Tu hermano menor dejó tu libro favorito en el piso. Todas las páginas se mojaron. Después tu hermano te dijo: "Lo siento, por favor perdóname".

¿Qué puedes decir para perdonar? Encierra las palabras en un círculo.

- "Voy a romper uno de tus juguetes".
- "Me gusta ese libro, pero te perdono".
- "Déjame en paz. No quiero hablar contigo".

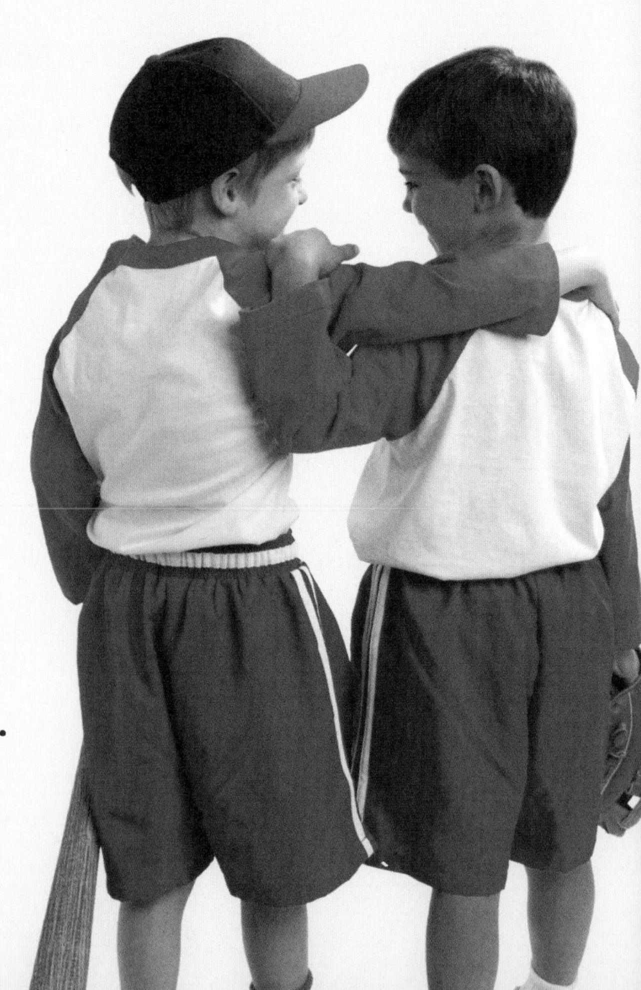

Jesus asks us to forgive others.

When we celebrate the Sacrament of Penance, we receive God's forgiveness and peace. Jesus told his followers that it is important to forgive others. He wants us to share God's peace.

WE RESPOND

Ask the Holy Spirit to help you to be loving and forgiving.

Read Along

Your little brother left your favorite book outside. It started raining. All the pages got wet. Then your brother said, "I am sorry. Please forgive me."

What would you say to be forgiving? Circle the words.

- "I am going to break one of your toys."
- "I liked that book, but I forgive you."
- "Go away. I do not want to talk to you."

Penance and Reconciliation the sacrament in which we receive and celebrate God's forgiveness

HACIENDO DISCIPULOS

Muestra lo que sabes

Escribe las letras que faltan y encontrarás un importante mensaje.

Puedo recibir y celebrar el perdón de Dios en el sacramento de la

___ e ___ i ___ e ___ c ___ ___ y

___ e ___ o ___ ___ i ___ ia ___ io ___.

Realidad

Pon un ✔ en tu forma favorita de decir lo siento a alguien.

- ❑ Por favor perdóname.
- ❑ Lo siento.
- ❑ Te pido excusas por lo que hice.

RETO PARA EL DISCIPULO Recuerda decir lo siento a otros y a Dios.

PROJECT DISCIPLE

Show What you Know

Fill in the missing letters to read an important message.

I can receive and celebrate God's forgiveness in the Sacrament of

___ e ___ a ___ c ___   a ___ ___

___ e ___ o ___ ___ i ___ ia ___ io ___.

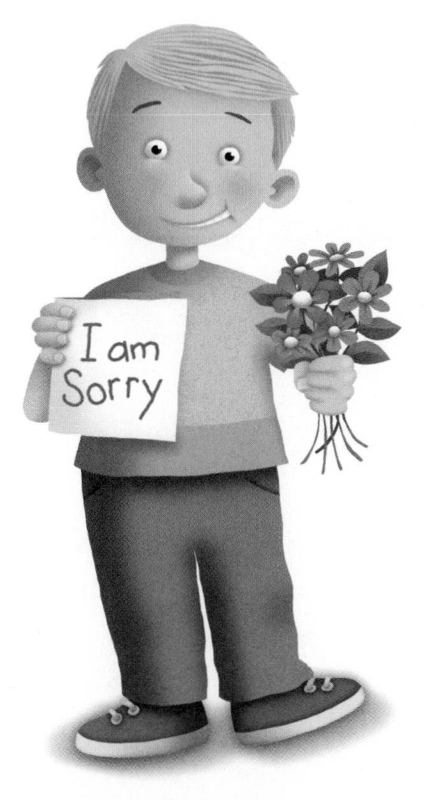

Reality Check

Check your favorite way to tell someone you are sorry.

- ❑ Please forgive me.
- ❑ I am sorry.
- ❑ I apologize for what I did.

DISCIPLE CHALLENGE Remember to tell God and others when you are sorry.

HACIENDO DISCÍPULOS

Dibuja una historia sobre el perdón. Asegúrate de incluir un inicio, un medio y un final.

Inicio	medio	final

Tarea

Invita a tu familia a hacer un cuadro de perdón haciendo una lista de las veces que cada uno se perdona. Cuando alguien perdone a otro debe poner un ✔ en el cuadro.

PROJECT DISCIPLE

Make it Happen

Write a forgiveness picture story in the space below. Be sure to include a beginning, a middle, and an end to your story.

beginning	middle	end

Take Home

Invite your family to make a chart at home that tallies the number of times family members forgive each other. When someone forgives, he or she puts a checkmark on the chart.

Cuaresma

Adviento | Navidad | Tiempo Ordinario | Cuaresma | Tres Días | Tiempo de Pascua | Tiempo Ordinario

La Iglesia se prepara para celebrar la muerte y resurrección de Jesús.

NOS CONGREGAMOS

¿Cuándo recuerdas lo que tu familia ha hecho por ti? ¿Cuándo recuerdas lo que Dios ha hecho por ti?

CREEMOS

La Cuaresma es un tiempo especial en la Iglesia. Recordamos todo lo que Jesús hizo por nosotros. Nos preparamos para la celebración más importante de la Iglesia, la muerte y resurrección de Jesús.

La Cuaresma es un tiempo para recordar nuestro Bautismo. En el Bautismo fue cuando primero recibimos la gracia, el don de la vida de Dios. Durante la Cuaresma alabamos a Jesús por compartir su vida con nosotros.

"Procuren hacer lo que agrada al Señor".

Efesios 5:10

Lent

The Church gets ready to celebrate Jesus' Death and Resurrection.

WE GATHER

When do you remember what your family has done for you? When do you remember what God has done for you?

WE BELIEVE

Lent is a special time in the Church. We remember all that Jesus has done for us. We get ready for the Church's great celebration of Jesus' Death and Resurrection.

Lent is a time to remember our Baptism. In Baptism we first received grace, the gift of God's life. During Lent we praise Jesus for sharing his life with us.

"Try to learn what is pleasing to the Lord."
Ephesians 5:10

Fuimos bautizados en el nombre del Padre, y del Hijo, y del Espíritu Santo. Hacer la Señal de la Cruz nos recuerda nuestro Bautismo.

Durante la Cuaresma tratamos de acercarnos más a Jesús. Rezamos y seguimos su ejemplo. Damos gracias a Dios por su gran amor. Celebramos el perdón de Dios. Ayudamos a los enfermos, los que tienen hambre y los que están solos.

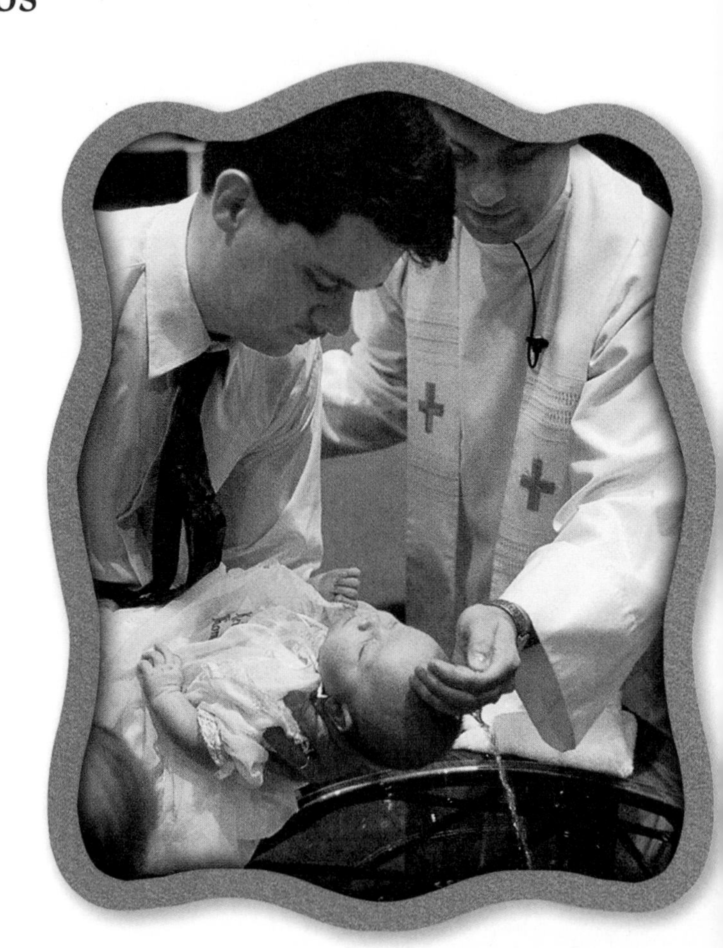

Los seguidores de Jesucristo siempre deben hacer esas cosas. Sin embargo, estas tienen especial significado si se hacen durante la Cuaresma.

Mira las ilustraciones. Piensa en lo que las personas en las ilustraciones están haciendo o diciendo.

We were baptized in the name of the Father, and of the Son, and of the Holy Spirit. Praying the Sign of the Cross reminds us of our Baptism.

During Lent we try to grow closer to Jesus. We pray and follow his example. We thank God for his great love. We celebrate God's forgiveness. We help people who are sick, hungry, and lonely.

Followers of Jesus Christ should always do these things. However, they have special meaning when we do them during Lent.

Look at the pictures. Think about what the people in the pictures are doing and saying.

RESPONDEMOS

Habla de las cosas especiales que pasaron en tu Bautismo.

Cierra los ojos. Da gracias a Jesús por compartir su vida contigo. Ahora juntos hagan la Señal de la Cruz.

Respondemos en oración

Líder: El Señor nos llama a pensar, a rezar y a hacer actos de bondad. Bendito sea el nombre del Señor.

Todos: Ahora y siempre.

Líder: Durante la Cuaresma confiamos en el amor y el perdón de Dios.

Todos: Felices los que confían en el Señor.

Líder: Juntos rezamos como Jesús nos enseñó.

Todos: (Juntos recen el Padrenuestro.)

WE RESPOND

Talk about the special things that happened at your Baptism.

Close your eyes. Thank Jesus for sharing his life with you. Now pray together the Sign of the Cross.

We Respond in Prayer

Leader: The Lord calls us to days of quiet time, prayer, and kind acts. Blessed be the name of the Lord.

All: Now and for ever.

Leader: During this time of Lent we trust in God's love and forgiveness.

All: Happy are those who trust in the Lord.

Leader: Together we pray as Jesus taught us.

All: (Pray the Our Father.)

HACIENDO DISCÍPULOS

Celebra

Dibújate haciendo algo que te acerque más a Jesús durante la Cuaresma.

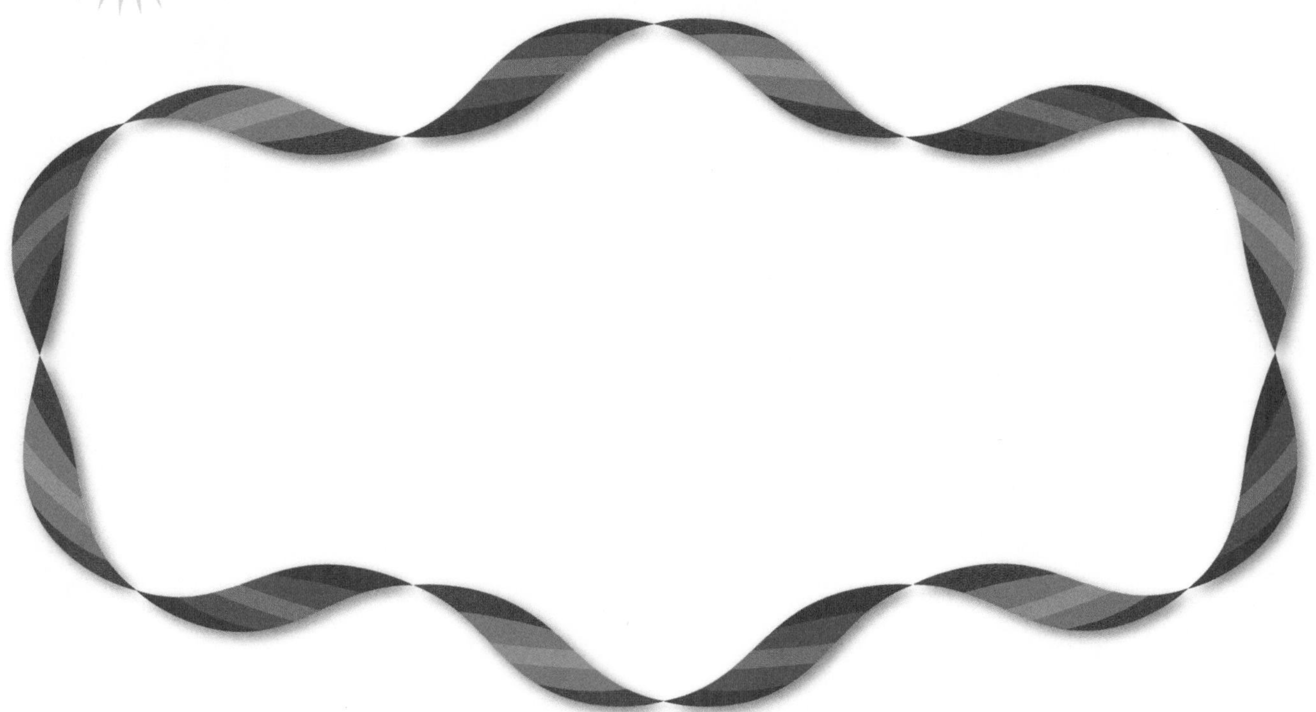

Reza

Termina esta oración.

Jesús, gracias por compartir tu

____

______________________________.

Gracias por darme

____

______________________________.

Amén.

Tarea

Conversen sobre formas en que la familia puede acercarse a Jesús durante la Cuaresma.

Planifiquen hacer una o dos de esas cosas.

PROJECT DISCIPLE

Draw yourself doing something that brings you closer to Jesus during Lent.

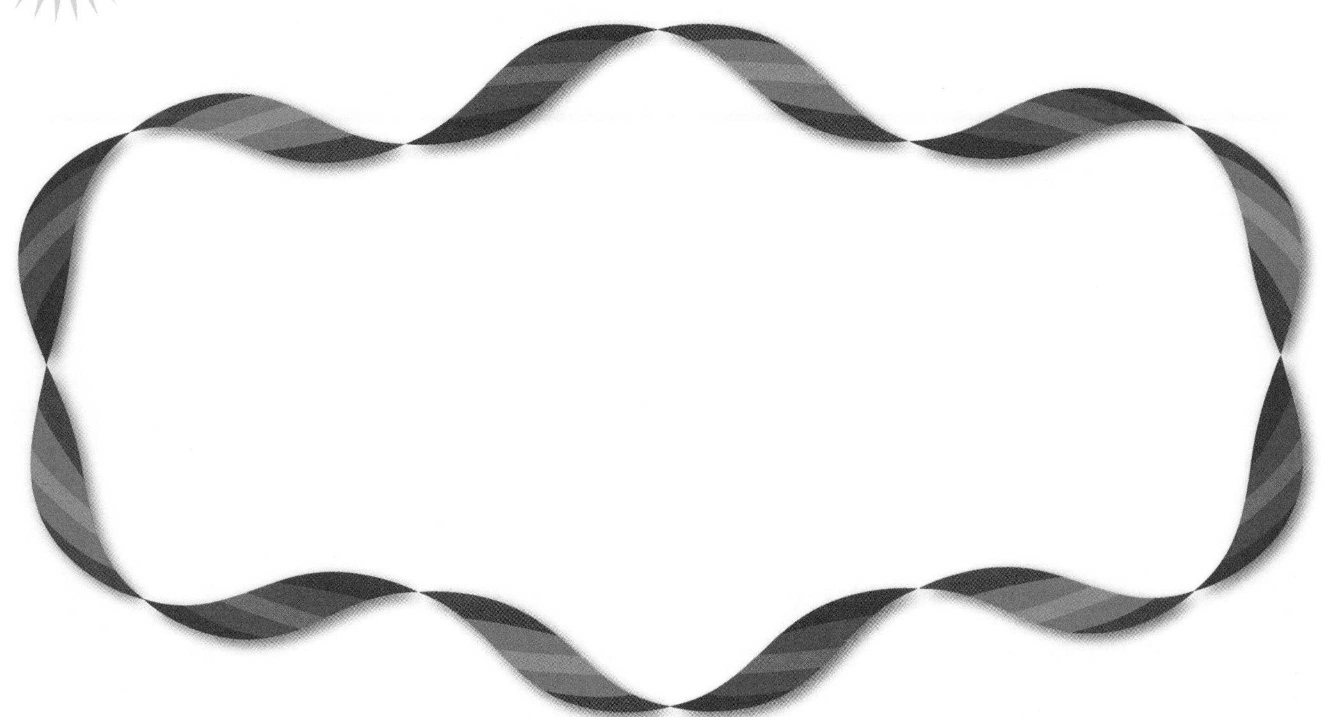

Pray Today

Finish this prayer.

Jesus, thank you for sharing your

____

______________________________.

Thank you for giving me

____

______________________________.

Amen.

Take Home

Talk about ways your family can grow closer to Jesus during Lent.

Plan to make one of these ways happen.

Los Tres Días

La Iglesia celebra que Jesús murió y resucitó a una nueva vida.

NOS CONGREGAMOS

Piensa en cruces que has visto.
¿En qué se diferencian?

CREEMOS

La Cuaresma es el tiempo en que nos preparamos para la celebración más grande de la Iglesia. La Cuaresma nos prepara para los tres grandes días. En Tres Días celebramos la muerte y resurrección de Jesús a una nueva vida.

Durante los Tres Días, nos reunimos con nuestra comunidad parroquial. Celebramos de noche y de día.

Señor, con tu cruz trajiste gozo al mundo.

The Three Days

The Church celebrates that Jesus died and rose to new life.

WE GATHER

Think about the crosses that you have seen.
How are they different?

WE BELIEVE

Lent is a time that gets us ready for the Church's greatest celebration. Lent gets us ready for the great Three Days. These Three Days celebrate Jesus' dying and rising to new life.

During the Three Days, we gather with our parish. We celebrate at night and during the day.

Lord, through your cross you
brought joy to the world.

Hacemos cosas que Jesús nos pide hacer. Recordamos que Jesús se dio a sí mismo en la última cena. Recordamos las maneras en que Jesús amó y sirvió a los demás.

Escuchamos lecturas de la Biblia. Rezamos frente a la cruz. La cruz nos recuerda la muerte y resurrección de Jesús.

Dibuja algo que muestre una manera en que celebrarás los Tres Días con tu parroquia.

We do the things
Jesus asked us to do.
We remember that Jesus
gave himself to us at the
Last Supper. We remember
the ways Jesus loved and
served others.

We listen to readings from
the Bible. We pray before
the cross. The cross
reminds us of Jesus' dying
and rising to new life.

Draw a picture to
show one way you will
celebrate the Three Days
with your parish.

Cantamos con gozo para celebrar que Jesús resucitó de la muerte. Recordamos nuestro bautismo en forma especial. Damos la bienvenida a nuevos miembros en la Iglesia. Celebramos con cantos de gozo y alabanza.

Respondemos

Levántate

Levántate que está llegando.
El Señor viene ya.
El Señor viene ya.
El Señor viene ya.

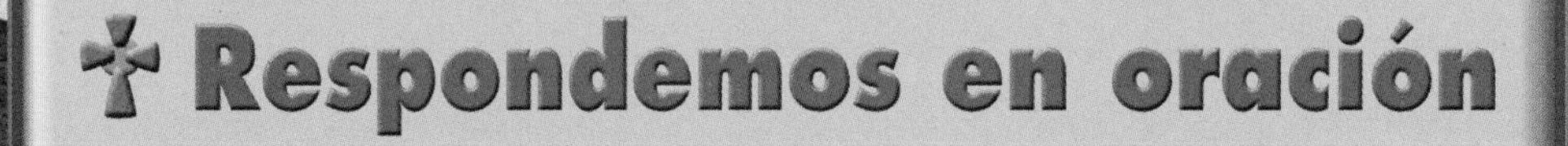

Respondemos en oración

Líder: Señor, con tu cruz trajiste gozo al mundo.

Todos: Santo es Dios. ¡Santo y fuerte!

Santo, Santo, Santo

Santo, Santo, Santo es el Señor,
Dios del universo.
Llenos están el cielo y la tierra de tu gloria.
Hosanna en el cielo.
Bendito el que viene en nombre del Señor.
Hosanna en el cielo.

We sing with joy to celebrate that Jesus rose from the dead. We remember our Baptism in a special way. We welcome new members into the Church. We begin the Easter season with songs of joy and praise.

WE RESPOND

Awake! Arise, and Rejoice

Awake! Arise, and rejoice!
This is the day of the Lord!
Awake! Arise, and rejoice!
Open the gates with our song!

We Respond in Prayer

Leader: Lord, through your cross you brought joy to the world.

All: Holy is God!
Holy and strong!

Shout from the Mountains

And we sing:
Holy, holy,
holy is God!
Holy, holy,
holy and strong!

HACIENDO DISCÍPULOS

Aparea las fotos con lo que celebramos durante los Tres Días.

- Rezar ante la cruz.
- Recordar que Jesús se dio a sí mismo.
- Recordar nuestro Bautismo.

Tarea

Marca los Tres Días en el calendario de la familia. Recuerden celebrar esos días junto con la comunidad parroquial.

PROJECT DISCIPLE

Match the pictures to the ways that we can celebrate the Three Days.

● Pray before the cross.

● Remember that Jesus gave himself to us.

● Remember our Baptism.

Take Home

Mark the Three Days on your family calendar. Remember to celebrate with your parish on these days.

22 Jesús nos da la Eucaristía

NOS CONGREGAMOS

✝ **Líder:** Oh Dios, nos reunimos para rezar. Queremos escuchar tu palabra y compartir tu amor con todo el mundo.

Todos: Oh Dios, escúchanos.

¿Cuáles son algunas cosas que la gente hace para celebrar los días de fiesta?

CREEMOS

Jesús compartió una comida especial con sus seguidores.

La noche antes de morir, Jesús estaba con sus seguidores en Jerusalén. Ellos celebraban un día de fiesta judío con una comida especial. Esto fue lo que Jesús hizo y dijo.

Mateo 26:26–28

Lee conmigo

Mientras ellos comían, Jesús tomó el pan. El lo bendijo y lo partió. El dio el pan a sus amigos y dijo: “Coman, esto es mi cuerpo”. (Mateo 26:26)

Después Jesús tomó la copa de vino. El dio gracias a Dios. El pasó la copa a sus amigos y dijo: “Beban todos ustedes de esta copa, porque esto es mi sangre”. (Mateo 26:27–28)

Jesus Gives Us the Eucharist

22

WE GATHER

✝ **Leader:** O God, we gather to pray. We want to listen to your Word and share your love with everyone.

All: O God, hear us.

What are some things people do to celebrate holidays?

WE BELIEVE

Jesus shared a special meal with his followers.

On the night before he died, Jesus was with his followers in Jerusalem. They were celebrating a Jewish holiday with a special meal. Here is what Jesus said and did.

Matthew 26:26–28

Read Along

While they were eating, Jesus picked up the bread. He blessed it and broke it. He gave it to his friends. He said, "Take and eat; this is my body." (Matthew 26:26)

Then Jesus took a cup of wine. He gave God thanks. He passed the cup to his friends and said, "Drink from it, all of you, for this is my blood." (Matthew 26:27–28)

Llamamos a esta comida la última cena. Jesús dio a sus discípulos el regalo de sí mismo. El pan y el vino se convirtieron en el Cuerpo y la Sangre de Jesús.

Imagina que estás en la última cena. Comparte como crees que se sienten los seguidores de Jesús.

Celebramos lo que Jesús hizo y dijo en la última cena.

Jesús pidió a sus seguidores recordar lo que él hizo y dijo en la última cena. La Iglesia hace esto cuando celebra la Eucaristía.

La **Eucaristía** es el sacramento del Cuerpo y la Sangre de Jesucristo. En este sacramento, el pan y el vino se convierten en el Cuerpo y la Sangre de Jesucristo.

La palabra *eucaristía* significa "dar gracias". En la celebración de la Eucaristía, damos gracias a Dios por todos sus regalos.

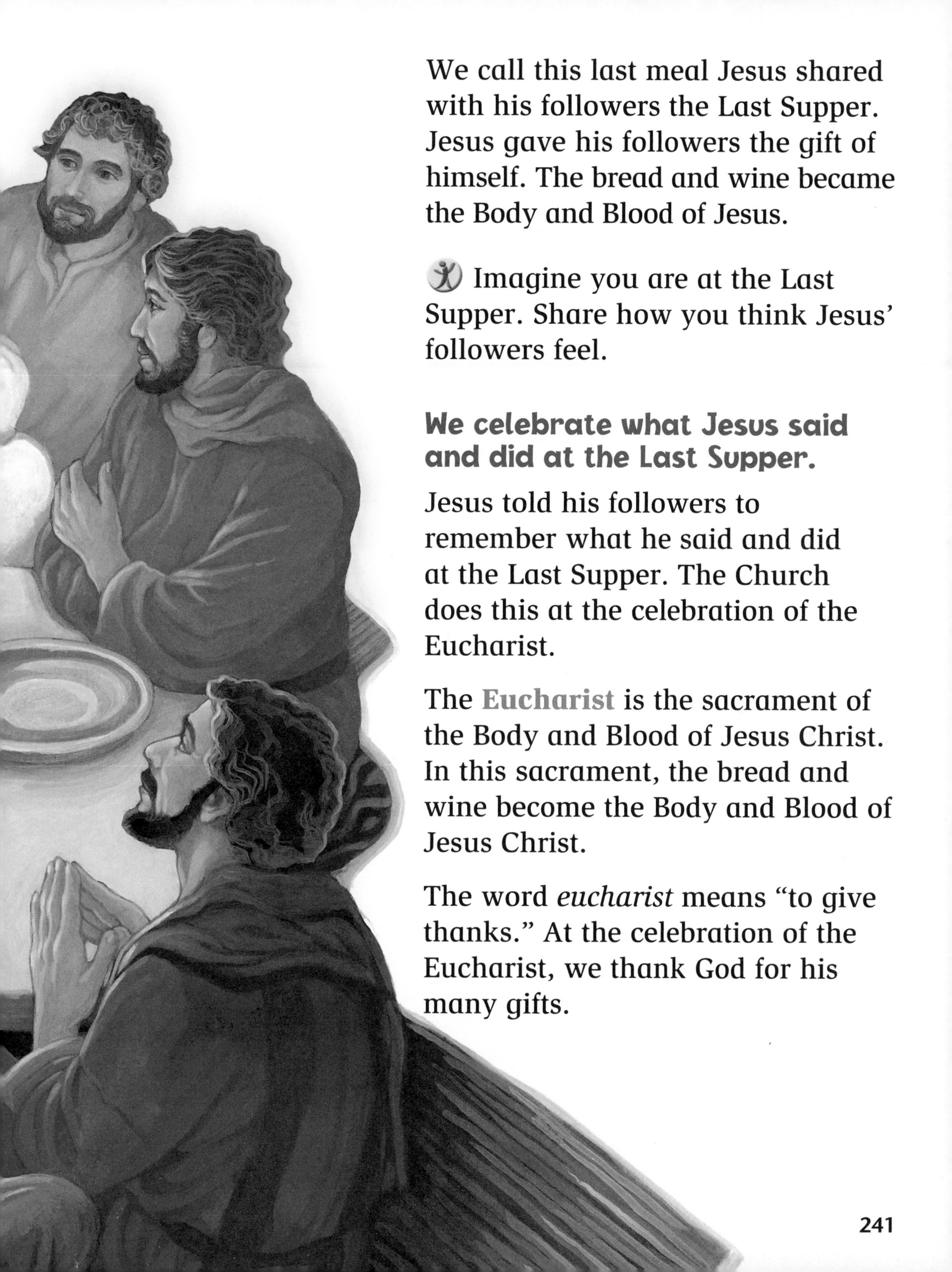

We call this last meal Jesus shared with his followers the Last Supper. Jesus gave his followers the gift of himself. The bread and wine became the Body and Blood of Jesus.

Imagine you are at the Last Supper. Share how you think Jesus' followers feel.

We celebrate what Jesus said and did at the Last Supper.

Jesus told his followers to remember what he said and did at the Last Supper. The Church does this at the celebration of the Eucharist.

The **Eucharist** is the sacrament of the Body and Blood of Jesus Christ. In this sacrament, the bread and wine become the Body and Blood of Jesus Christ.

The word *eucharist* means "to give thanks." At the celebration of the Eucharist, we thank God for his many gifts.

Damos gracias a Jesús por todo lo que ha hecho por nosotros.

Termina esta oración: Gracias Jesús por

____

Celebramos el sacramento de la Eucaristía.

La **misa** es otro nombre para la celebración de la Eucaristía. La misa es la celebración más importante de la Iglesia.

En la misa adoramos juntos a Dios. Alabamos al Padre por su amor. Celebramos la vida de su Hijo, Jesús. Pedimos al Espíritu Santo nos ayude a celebrar.

Jesús está con nosotros de manera especial en la misa. Está con nosotros cuando:

- nos reunimos
- escuchamos la palabra de Dios
- recordamos lo que Jesús hizo y dijo en la última cena
- compartimos su Cuerpo y Sangre.

Eucaristía es el sacramento del Cuerpo y la Sangre de Jesucristo

misa es otro nombre para la celebración de la Eucaristía

Celebración de unidad

Con trigo que se hizo pan
y vino sobre el altar,
celebramos hoy con Dios
este banquete de amor.

We thank Jesus for all he has done for us.

Finish this prayer. Thank you, Jesus, for

Loveing me.

We celebrate the Sacrament of the Eucharist.

The **Mass** is another name for the celebration of the Eucharist. The Mass is the Church's greatest celebration.

At Mass we worship God together. We praise the Father for his love. We celebrate the life of his Son, Jesus. We ask the Holy Spirit to help us celebrate.

Jesus is with us in a special way at Mass. He is with us

- when we gather together
- when we listen to God's Word
- when we remember what Jesus said and did at the Last Supper
- when we share his Body and Blood.

We Come to Share God's Special Gift

We come to share God's special gift:
Jesus here in Eucharist
for you, for me,
for all God's family;
for me, for you
God's love is always true!

Eucharist the sacrament of the Body and Blood of Jesus Christ

Mass another name for the celebration of the Eucharist

Nos unimos a nuestra parroquia para la celebración de la misa.

Todos los domingos nos reunimos como parroquia a celebrar la misa. El sacerdote nos dirige en esta celebración. Participamos en la celebración de la misa. Cantamos y rezamos. Escuchamos la palabra de Dios.

Ofrecemos nuestra oración a Dios. El sacerdote hace lo que Jesús hizo en la última cena. Después somos enviados a compartir el amor de Dios con otros.

Como católicos...

El tercer mandamiento es: Recuerda mantener santo el día del Señor. Para la Iglesia el domingo es el día del Señor. Jesús resucitó a una nueva vida en domingo.

El día del Señor empieza el sábado en la tarde y termina el domingo en la tarde. Durante ese tiempo nos reunimos con nuestra parroquia para celebrar la misa. Esta es la celebración más grande que podemos hacer para mantener santo el día del Señor.

¿De qué otra forma puedes mantener santo el día del Señor?

RESPONDEMOS

Encuentra y encierra en un círculo tres cosas que puedes hacer para participar en la celebración de la misa.

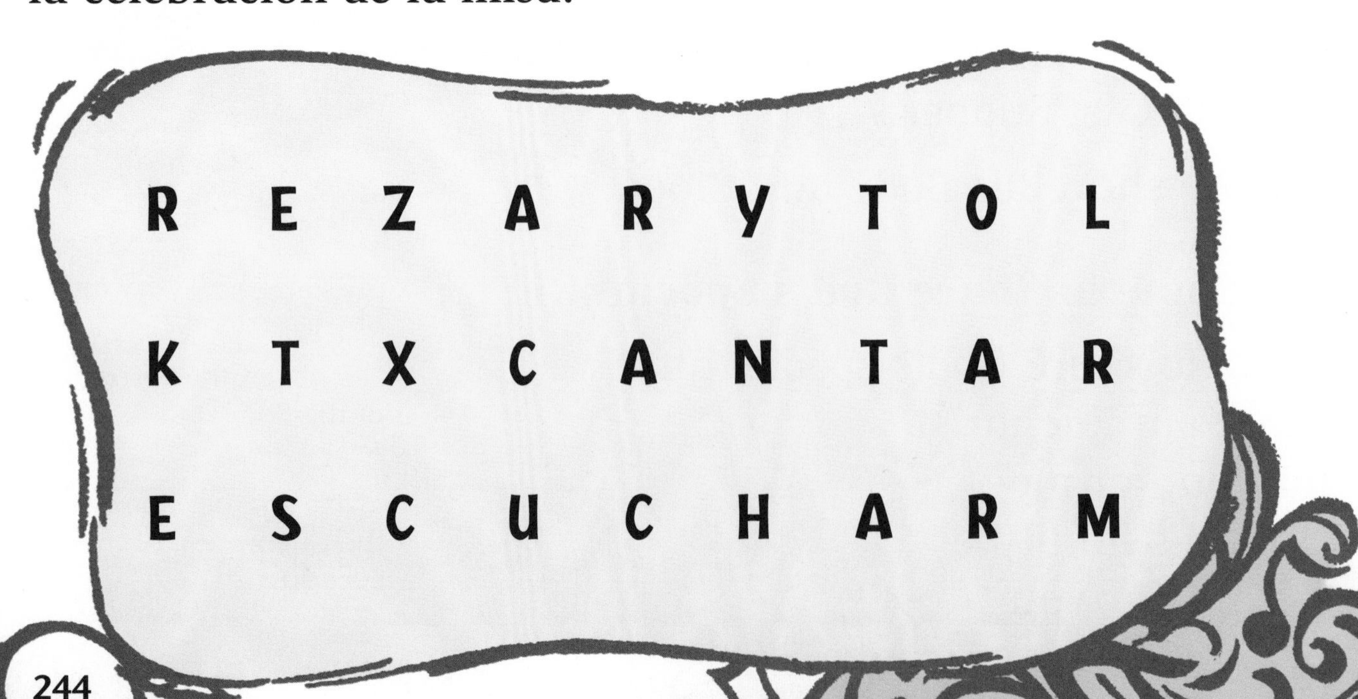

As Catholics...

The Third Commandment is: Remember to keep holy the LORD's Day. For the Church, Sunday is the Lord's Day. This is because Jesus rose to new life on a Sunday.

The Lord's Day begins on Saturday evening and ends on Sunday evening. During this time we gather with our parish to celebrate Mass. This celebration is the greatest way we can keep the Lord's Day holy.

What are some other ways you can keep Sunday holy?

We join with our parish for the celebration of Mass.

Every Sunday we gather as a parish to celebrate Mass. A priest leads us in this celebration. We take part in the celebration of the Mass. We sing and pray. We listen to God's Word.

We offer our prayers to God. The priest does what Jesus did at the Last Supper. Then we are sent out to share God's love with others.

WE RESPOND

Find and circle three things you can do to take part in the celebration of Mass.

HACIENDO DISCIPULOS

Muestra lo que sabes

misa

Eucaristía

Escribe una oración con las dos palabras del Vocabulario.

____

____

Imagina que estás con Jesús en la última cena. ¿Cómo te hacen sentir cada una de estas afirmaciones?

Dibuja ☺ o ☹.	
Esta es la última vez que comemos juntos.	◯
Te doy el regalo de mí mismo.	◯
Recuérdame.	◯
Te amo.	◯

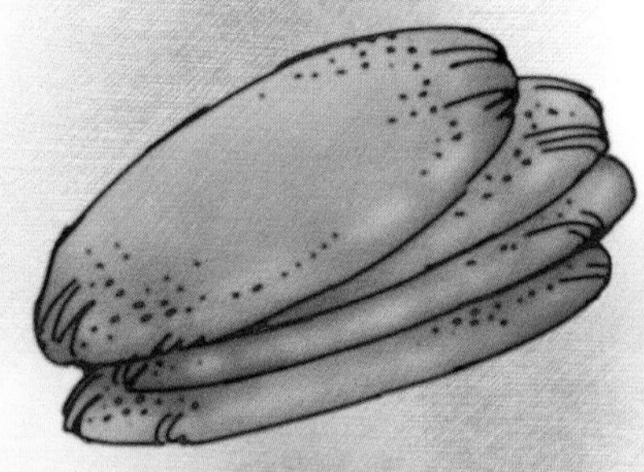

PROJECT DISCIPLE

Show What you Know

Mass
Eucharist

Write the two Key Words in one sentence.

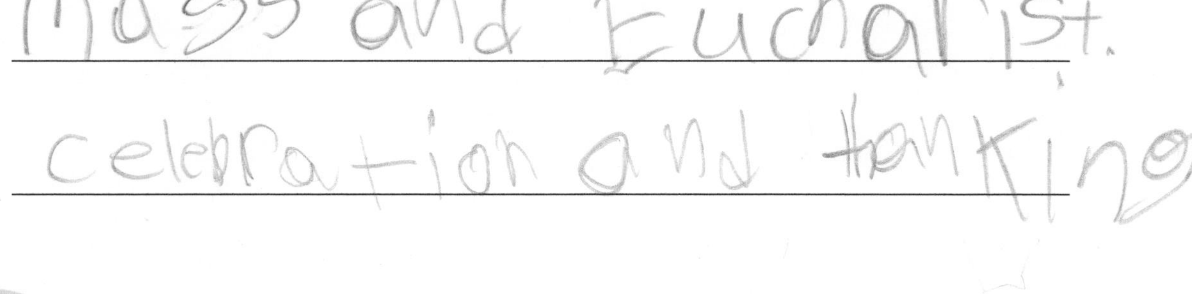

Pretend that you are with Jesus at the Last Supper. How does each statement make you feel?

Draw ☺ or ☹.	
This is my last meal with you.	
I give you the gift of myself.	
Remember me.	
I love you.	

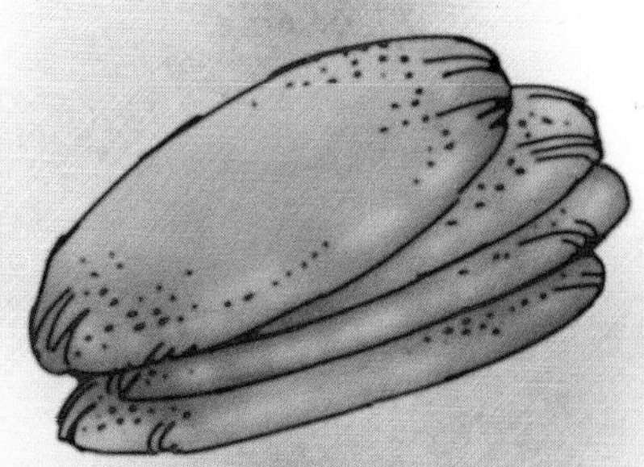

HACIENDO DISCÍPULOS

Recuerda lo que dijo Jesús en la última cena.

"Tomen y coman; esto es mi cuerpo". (Mateo 26:26)

"Beban todos de él,
porque ésta es mi sangre". (Mateo 26:27-28)

Agradece a Dios por todo lo que ha hecho por nosotros.

Realidad

¿Cuándo está Jesús contigo?

- ❑ En la misa
- ❑ Cuando celebro la vida de Jesús
- ❑ Cuando rezo con mi parroquia
- ❑ Siempre
- ❑ Otras veces: ______________

____

Tarea

Lo más importante que hace una parroquia es la celebración de la misa los domingos. Algunas personas toman tiempo para ayudarnos a celebrar. Habla con tu familia sobre quien ayuda en la celebración de la Eucaristía. Hagan juntos una lista.

____

____

PROJECT DISCIPLE

What's the Word?

Remember what Jesus said at the Last Supper.

"Take and eat; this is my body." (Matthew 26:26)

"Drink from it, all of you, for this is my blood." (Matthew 26:27–28)

Thank Jesus for all he has done for us.

Reality Check

When is Jesus with you?

- ❑ When I am at Mass
- ❑ When I celebrate Jesus' life
- ❑ When I pray with my parish
- ❑ Always
- ❑ Another time: ______________

____

Take Home

The most important thing our parish does is celebrate Mass together on Sunday. People of the parish give their time to help us celebrate. Talk with your family about who is at Mass to help celebrate the Eucharist. Make a list together.

____

____

Celebramos la misa

NOS CONGREGAMOS

Líder: Vamos a cantar para alabar a Dios.

Todos: Gloria a Dios en el cielo.
Y en la tierra paz a los hombres.

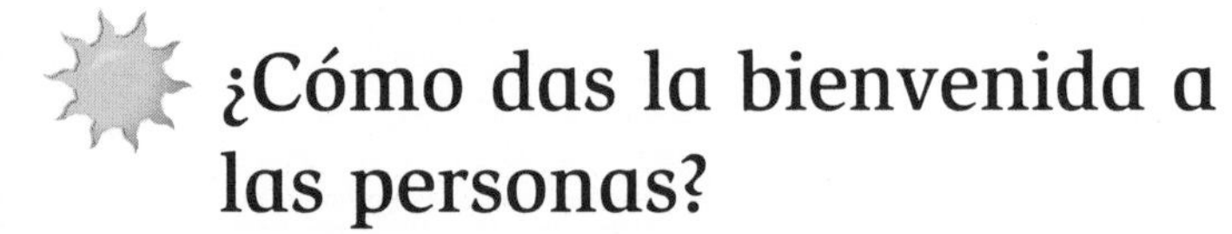

¿Cómo das la bienvenida a las personas?

CREEMOS

Nos reunimos para alabar a Dios.

La misa es la mayor celebración de la Iglesia. El tiempo más importante en nuestra parroquia es cuando nos reunimos los domingos para la misa.

Al llegar nos damos la bienvenida. Nos ponemos de pie y cantamos. Con el sacerdote, hacemos la Señal de la Cruz. El sacerdote dice: “El Señor esté con ustedes”. Respondemos: “Y con tu espíritu”.

We Celebrate the Mass

WE GATHER

✝ **Leader:** Let us sing a song of praise to God.

All: Glory to God in the highest, and on earth peace to people of good will.

How do you welcome people?

WE BELIEVE

We gather to worship God.

The Mass is the Church's greatest celebration. The most important time that our parish comes together is for Sunday Mass.

As we gather, we welcome one another. We stand and sing. With the priest, we pray the Sign of the Cross. The priest says,
"The Lord be with you."
We answer together,
"And with your spirit."

Glory to God

Después pedimos perdón a Dios y a los demás. Alabamos a Dios cantando y rezando en voz alta. Nuestra alabanza comienza con estas palabras: "Gloria a Dios".

Colorea las palabras que inician nuestra oración de alabanza.

Gloria a Dios

Escuchamos la palabra de Dios.

La Biblia es el libro de la palabra de Dios. Los domingos en la misa escuchamos tres lecturas de la Biblia.

La primera lectura es sobre el pueblo de Dios que vivió antes de Jesucristo nacer. La segunda lectura es de las enseñanzas de los apóstoles. Es también sobre el inicio de la Iglesia.

Después nos ponemos de pie y cantamos Aleluya u otras palabras de alabanza. Esto muestra que estamos dispuestos a escuchar la lectura del evangelio. El **evangelio** es la buena nueva. Esta es acerca de Jesucristo y sus enseñanzas.

El sacerdote o el diácono lee el evangelio. Después nos habla de las lecturas. Aprendemos como podemos seguir a Jesús.

Como católicos...

La palabra *evangelio* significa la "buena nueva de Jesucristo". La buena nueva es que Jesús es el Hijo de Dios quien nos habló sobre el amor de nuestro Padre, Dios.

Jesús nos enseñó como vivir. El murió y resucitó a una nueva vida por nosotros. Este es la buena nueva que celebramos. ¿Qué puedes decir a alguien sobre la buena nueva de Jesucristo?

Then we ask God and one another for forgiveness. We praise God by singing or praying aloud. Our prayer begins with these words: "Glory to God."

Color the words that begin our prayer of praise.

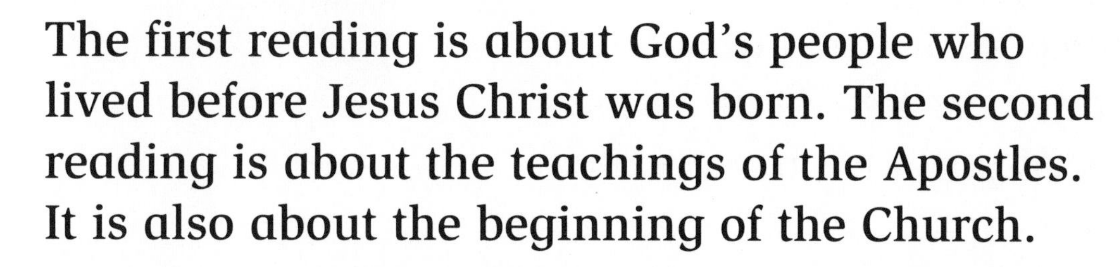

We listen to God's Word.

The Bible is the book of God's Word. At Sunday Mass we listen to three readings from the Bible.

The first reading is about God's people who lived before Jesus Christ was born. The second reading is about the teachings of the Apostles. It is also about the beginning of the Church.

Next we stand and sing Alleluia or other words of praise. This shows we are ready to listen to the reading of the Gospel. The **Gospel** is the Good News about Jesus Christ and his teachings.

The priest or deacon reads the Gospel. Then he talks to us about all the readings. We learn how to follow Jesus.

As Catholics...

The word *Gospel* means the "Good News of Jesus Christ." The Good News is that Jesus is the Son of God, who told us of God the Father's love.

Jesus taught us how to live. He died and rose to new life for us. This is the Good News we celebrate. What can you tell someone about the Good News of Jesus Christ?

Después que el sacerdote termina de hablar, nos ponemos de pie. En voz alta rezamos el credo. Después rezamos por la Iglesia y por todo el mundo.

En la misa, el próximo domingo, pon atención a las lecturas. ¿Cómo mostrarás que has escuchado la palabra de Dios?

Nuestros regalos de pan y vino se convierten en el Cuerpo y la Sangre de Cristo.

El **altar** es la mesa del Señor. El sacerdote prepara el altar para la celebración de la Eucaristía.

Todo lo que tenemos es regalo de Dios. Durante la Eucaristía ofrecemos estos regalos a Dios y nos ofrecemos nosotros. Los regalos de pan y vino se llevan al sacerdote. El sacerdote prepara los regalos de pan y vino. Rezamos: "Bendito seas por siempre, Señor".

Lee conmigo

Recordamos lo que Jesús hizo y dijo en la última cena. El sacerdote toma el pan. El dice: "Tomen y coman todos de él, porque esto es mi Cuerpo que será entregado por ustedes". Después toma la copa de vino y dice: "Tomen y beban todos de él, porque este es el cáliz de mi Sangre . . ."

El pan y el vino se convierten en el Cuerpo y la Sangre de Cristo. Esto sucede por el poder del Espíritu Santo y por medio de las palabras y acciones del sacerdote. Jesucristo está realmente presente en la Eucaristía.

Cantamos o rezamos, "Amén".

Canten "**Amén**".

After the priest's talk, we stand. We say aloud what we believe as Catholics. Then we pray for the Church and all people.

At Mass next Sunday listen carefully to the readings. How can you show others that you have heard God's word?

Our gifts of bread and wine become the Body and Blood of Christ.

The **altar** is the table of the Lord. The priest prepares the altar for the celebration of the Eucharist.

Everything we have is a gift from God. At the Eucharist we offer these gifts back to God. We offer ourselves, too. People bring gifts of bread and wine to the priest. The priest prepares the gifts of bread and wine. We pray, "Blessed be God for ever."

Read Along

We remember what Jesus said and did at the Last Supper. The priest takes the bread. He says, "TAKE THIS, ALL OF YOU, AND EAT OF IT, FOR THIS IS MY BODY, WHICH WILL BE GIVEN UP FOR YOU." Then the priest takes the cup of wine. He says, "TAKE THIS, ALL OF YOU, AND DRINK FROM IT, FOR THIS IS THE CHALICE OF MY BLOOD. . . ."

The bread and wine become the Body and Blood of Christ. This is done by the power of the Holy Spirit and through the words and actions of the priest. Jesus Christ is really present in the Eucharist.

We sing or pray, "Amen."

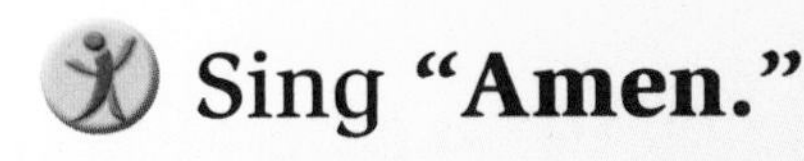

Nos acercamos a Jesús y a los demás.

Nos preparamos para recibir a Jesús rezando el Padrenuestro. Compartimos el saludo de la paz. Luego decimos una oración para pedir perdón y paz a Jesús.

El sacerdote nos invita a compartir la Eucaristía. Los que ya han recibido la primera comunión reciben el Cuerpo y la Sangre de Cristo. Ellos dicen: "Amén". Esto quiere decir "sí, creo".

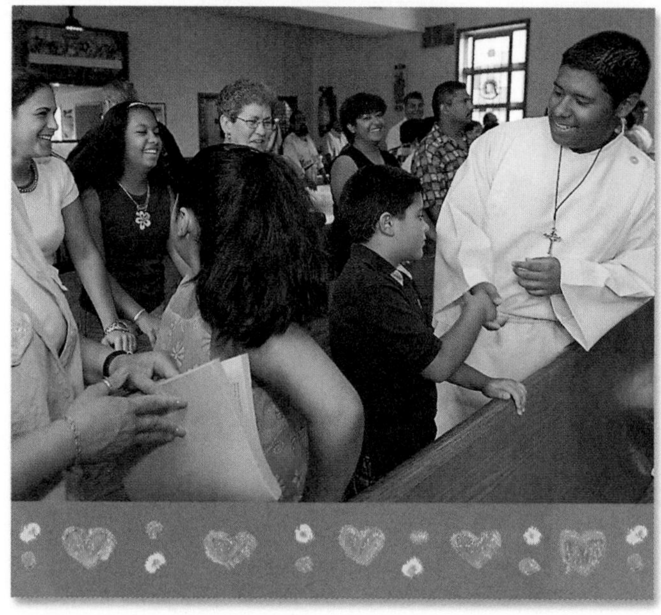

Mientras, cantamos un himno de gracias. Esto muestra que estamos unidos a Cristo y a la Iglesia.

Damos gracias a Jesús en silencio por la Eucaristía. Después el sacerdote nos bendice. Somos enviados a vivir como seguidores de Jesús.

RESPONDEMOS

Habla sobre una forma en que estarás más cerca de Jesús.

Vocabulario

evangelio es la buena nueva sobre Jesucristo y sus enseñanzas

altar es la mesa del Señor

We grow closer to Jesus and one another.

We get ready to receive Jesus by praying the Our Father. We share a sign of peace. Then we say a prayer to ask Jesus for forgiveness and peace.

The priest invites us to share in the Eucharist. The people who have received first Holy Communion receive the Body and Blood of Christ. They answer, "Amen." This means "Yes, I believe."

While this is happening, we sing a song of thanks. This shows that we are joined with Jesus and the Church.

We quietly thank Jesus for the Eucharist. After this the priest blesses us. We are sent out to live as Jesus' followers.

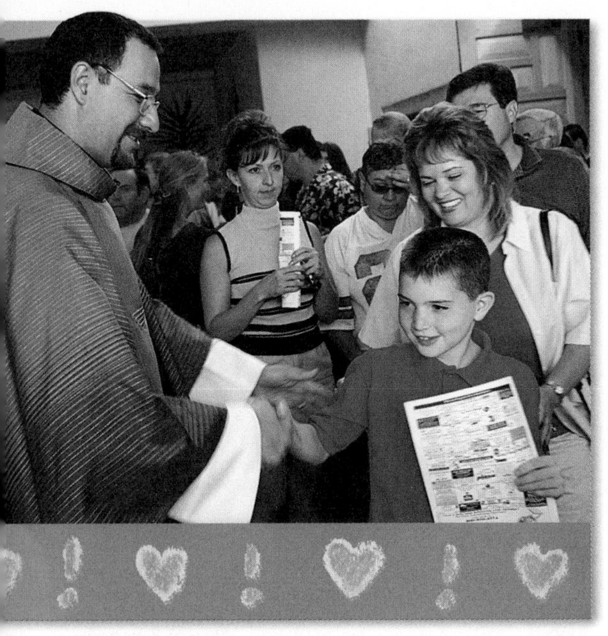

WE RESPOND

Talk about a way you can grow closer to Jesus.

Key Words

Gospel the Good News about Jesus Christ and his teachings

altar the table of the Lord

HACIENDO DISCIPULOS

evangelio

altar

Muestra lo que sabes

Adivina la palabra del Vocabulario en cada adivinanza.

El sacerdote me prepara para la celebración de la Eucaristía. Soy la mesa del Señor.

Soy el ______________________.

Para mostrar que estás listo para escucharme, te pones de pie y cantas unas palabras de alabanza. Soy la buena nueva sobre Jesucristo y sus enseñanzas.

Soy el ______________________.

Señor, escucha nuestra oración.

Demos gracias a Dios.

Las oraciones que estos niños están diciendo son parte de la misa.

Compártelo.

PROJECT DISCIPLE

Gospel

altar

Show What you Know

Guess the  for each riddle.

The priest prepares me for the celebration of the Eucharist. I am the table of the Lord.

I am the ______________________________.

To show you are ready to listen to me, you stand and sing words of praise. I am the Good News about Jesus Christ and his teachings.

I am the ______________________________.

Lord, hear our prayer.

Thanks be to God.

The prayers that the children are saying are from Sunday Mass.

Now, pass it on!

HACIENDO DISCIPULOS

¿Qué harás?

Imagina que tu amigo te pregunta:
"¿Cuál es la buena nueva sobre Jesucristo?"

¿Qué le dirías? Escribe tu respuesta en la burbuja.

Hazlo

Haz lo mejor que puedas para participar en la misa del domingo.

Tarea

Después de la misa el sacerdote, el diácono, o los ministros extraordinarios de la Sagrada Comunión llevan la comunión a las personas que no pueden asistir a misa porque están enfermos. En familia recen por los enfermos.

PROJECT DISCIPLE

What Would *you* do?

Imagine your friend asks you,
"What is the Good News about Jesus Christ?"

What would you say to him or her? Write it in the speech bubble.

Make *it* Happen

Do your best to participate at Mass this Sunday!

Take Home

After Mass priests, deacons, or extraordinary ministers of Holy Communion take the Eucharist to people who cannot attend Mass because they are sick. As a family, pray for all those who are sick.

Compartimos el amor de Dios

NOS CONGREGAMOS

✝ **Líder:** Después que Jesús resucitó a una nueva vida, visitó a sus seguidores.
Vamos a escuchar las palabras de Jesús cuando los visitó por primera vez.

Juan 20:19–21

Lector: Jesús llegó y se paró cerca de ellos.
Les dijo: "¡Paz a ustedes!" (Juan 20:19)

Todos: Jesús, nos diste los regalos de paz y amor.

¿Se te ha pedido alguna vez hacer algo importante?
¿Qué te pidieron hacer?

CREEMOS

Jesús nos muestra como amar y servir.

Jesús hizo lo que su Padre le pidió. Jesús habló a todo el mundo sobre Dios. El compartió el amor de Dios con todos.

Jesús dijo a sus seguidores: "Así como yo los amo a ustedes, así deben amarse ustedes los unos a los otros". (Juan 13:34)

We Share God's Love

WE GATHER

✝ **Leader:** After Jesus rose to new life, he visited his followers. Let us listen to Jesus' words when he first visited them.

John 20:19

Reader: Jesus came and stood near them. He said, "Peace be with you." (John 20:19)

All: Jesus, you gave us your gifts of peace and love.

Were you ever asked to do something important? What were you asked?

WE BELIEVE

Jesus shows us how to love and serve.

Jesus did what his Father asked him to do. Jesus told everyone about God. He shared God's love with all people.

Jesus told his followers, "As I have loved you, so you also should love one another." (John 13:34)

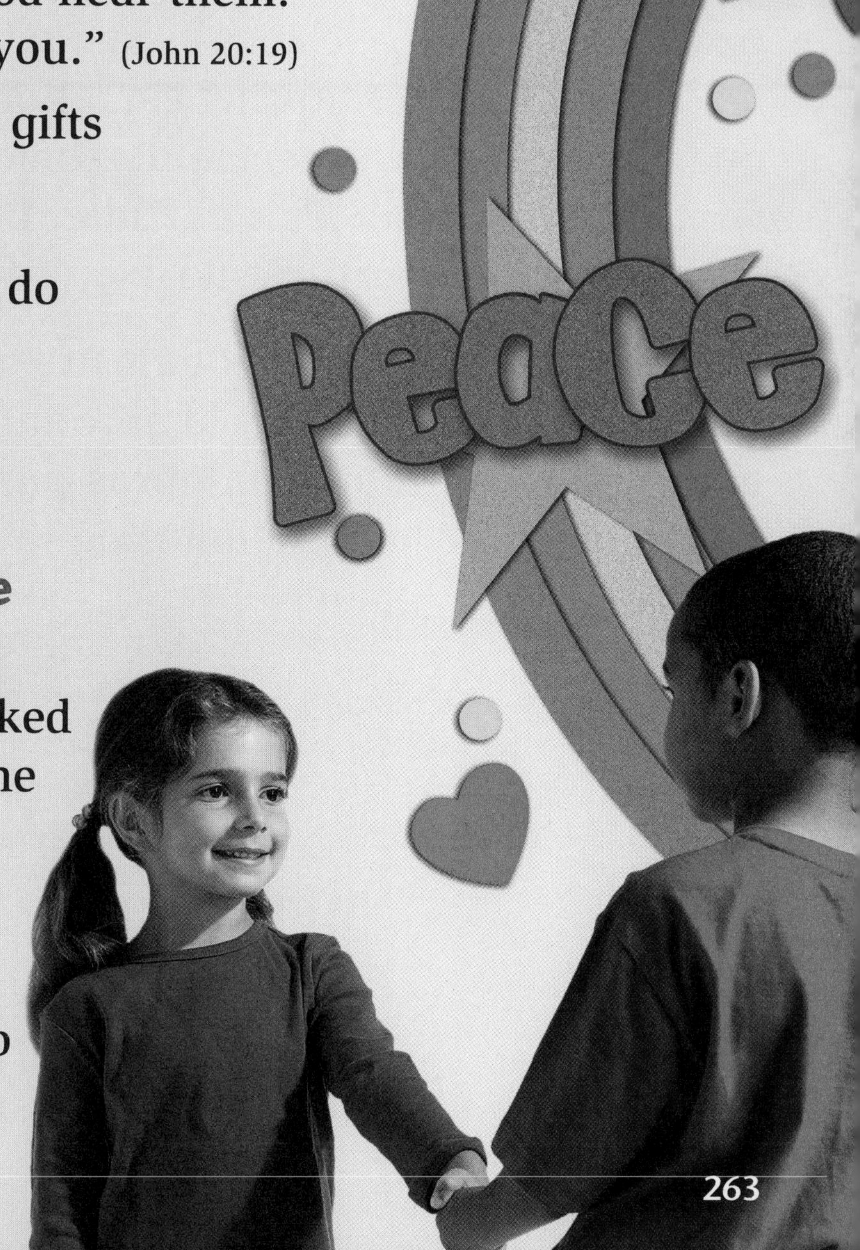

Jesús nos mostró como amar y servir a Dios y a los demás. Amamos y servimos a Dios aprendiendo las maneras en que él quiere que vivamos. Tratamos de hacer las cosas que él quiere que hagamos. Hablamos con otros sobre Dios y compartimos su amor.

¿Qué puedes hacer hoy para compartir el amor de Dios?

Cuando rezamos, mostramos nuestro amor a Dios.

Rezar es escuchar y hablar con Dios. Nos acercamos a Dios cuando rezamos.

Jesús nos enseñó que Dios es su Padre. El rezó a su Padre con frecuencia. El quiere que recemos con frecuencia. Rezamos a la Santísima Trinidad: Dios el Padre, Dios el Hijo y Dios el Espíritu Santo.

Podemos rezar solos. Podemos rezar con nuestra familia, amigos y la parroquia. Podemos usar nuestras propias palabras para rezar. Podemos rezar las oraciones de la Iglesia.

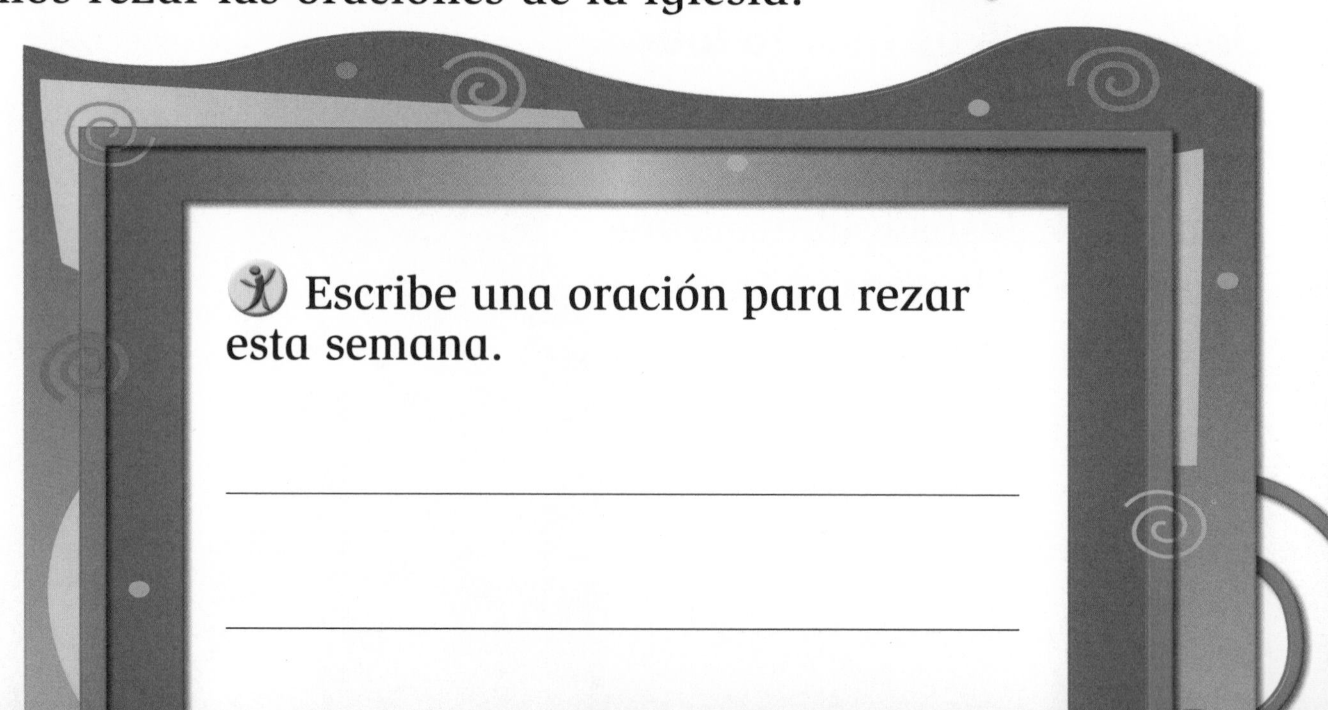

Escribe una oración para rezar esta semana.

Jesus showed us how to love and serve God and one another, too. We love and serve God by learning the ways he wants us to live. We try to do the things he wants us to do. We tell others about God and share his love.

What is one thing you will do to share God's love today?

When we pray, we show God that we love him.

Prayer is listening to and talking to God. We grow closer to God when we pray.

Jesus taught us that God is his Father. He prayed to his Father often. He wants us to pray often, too. We pray to the Blessed Trinity: God the Father, God the Son, and God the Holy Spirit.

We can pray by ourselves. We can pray with our families, friends, and our parish. We can use our own words to pray. We can pray the prayers of the Church.

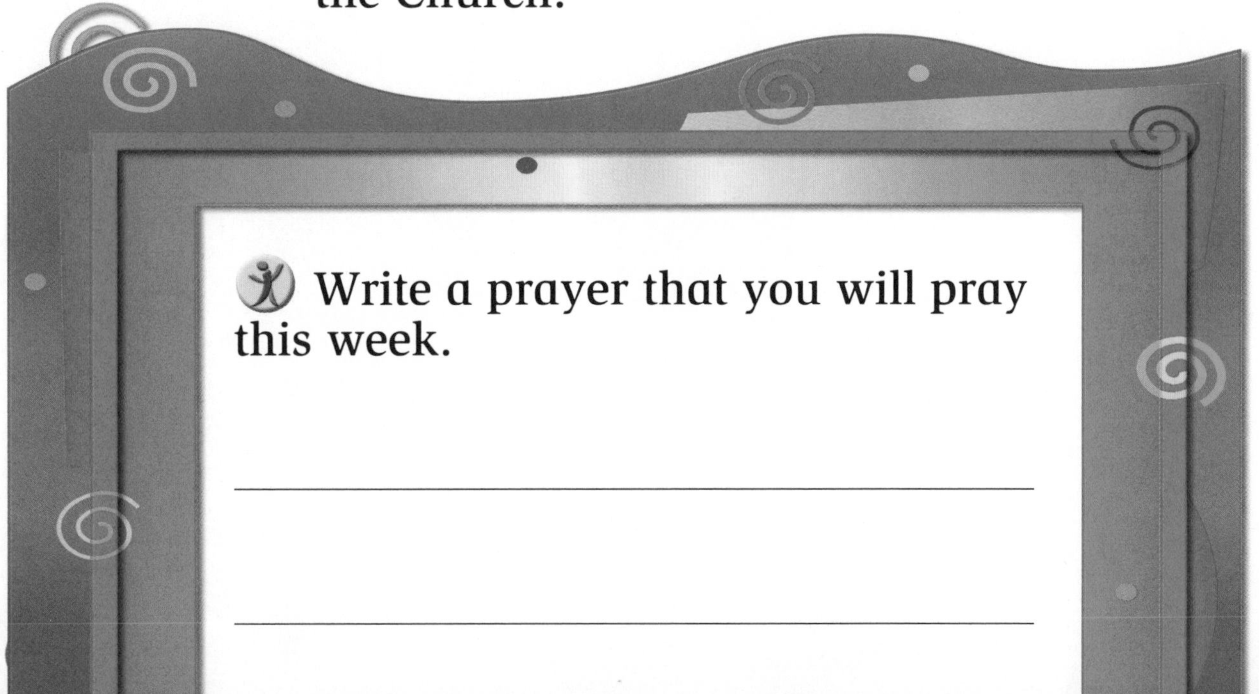

Write a prayer that you will pray this week.

____

____

Compartimos el amor de Dios con nuestras familias.

Dios quiere que lo amemos y sirvamos. Compartimos el amor de Dios con nuestras familias cuando:

- somos amables y ayudamos
- obedecemos a nuestros padres y a los que nos cuidan
- cuidamos de nuestras cosas y las cosas de la familia
- mostramos nuestro amor a los miembros de la familia
- nos arrepentimos y perdonamos a los demás.

Como católicos...

Hay muchas formas de orar. Podemos alabar a Dios. Podemos decir a Dios que estamos arrepentidos por algo malo que hemos hecho. Podemos dar gracias a Dios por su amor y cuidado. Podemos pedir a Dios lo que necesitamos. Podemos rezar por otros.

Trata de rezar de una de estas maneras.

Escribe una forma en que tu familia comparte el amor de Dios.

____

____

____

____

We share God's love with our families.

God wants us to love and serve him. We do this when we share God's love with our families in these ways.

- We are kind and helpful.
- We obey our parents and all those who care for us.
- We take care of the things that belong to our family.
- We show our love for all family members.
- We say we are sorry and forgive one another.

As Catholics...

There are many ways to pray. We can praise God. We can tell God we are sorry for something we have done wrong. We can thank God for his loving care. We can ask God for what we need. We can pray for other people.

Try to pray in one or more of these ways today.

Write one way your family shares God's love.

____

____

____

____

Compartimos el amor de Dios con otros.

Dios nos creó a cada uno. El nos creó para compartir su amor con todos. Podemos compartir el amor de Dios con nuestra familia. También con los miembros de nuestra parroquia.

RESPONDEMOS

Mira las ilustraciones en estas páginas. Habla sobre lo que está pasando en cada una. Di como las personas están amando y sirviendo a Dios.

El amor nos unió

Donde hay caridad y hay amor,
ahí está nuestro Señor.
El amor nos unió
a cantar esta canción.

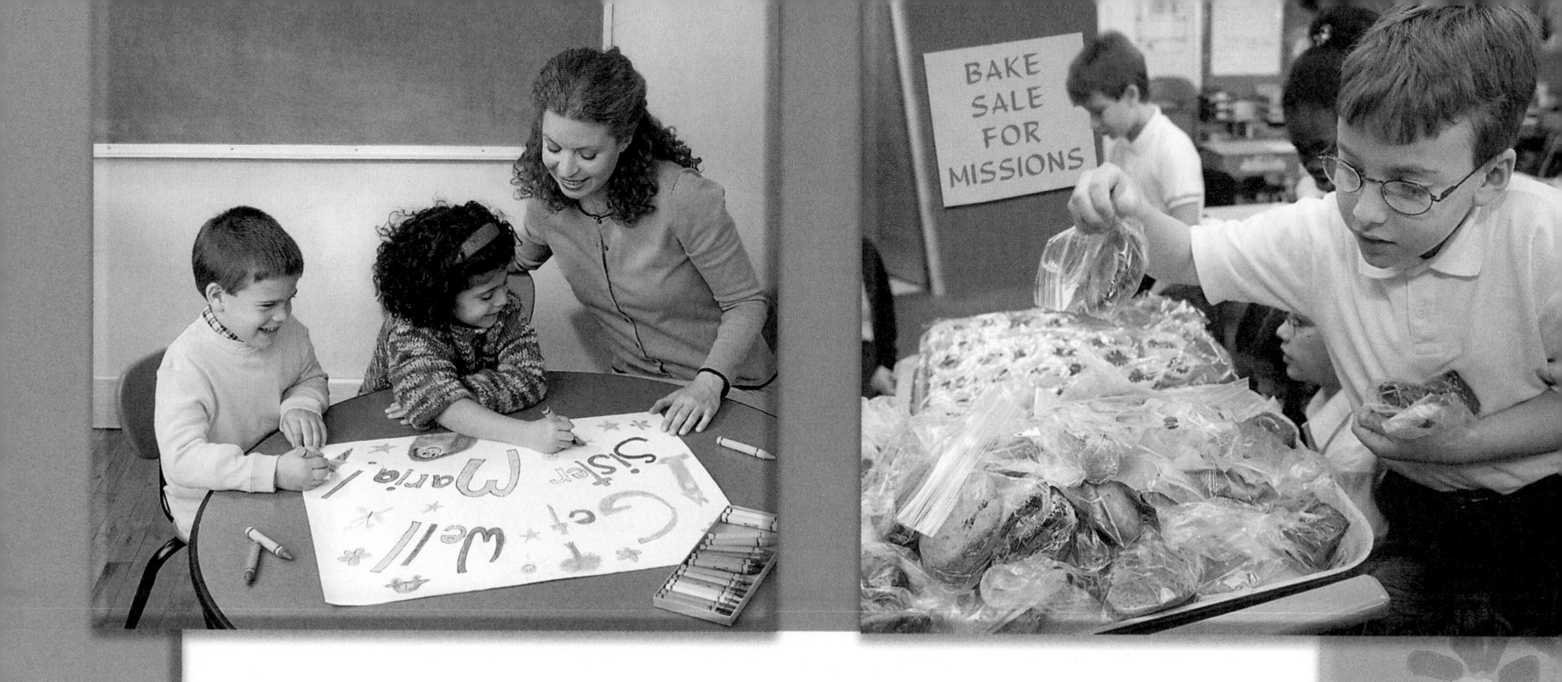

We share God's love with others.

God made each of us. He made us to share God's love with everyone. We can join with our own families to share God's love. We can join with members of our parish to do this, too.

WE RESPOND

Look at the pictures on these pages. Talk about what is happening in each picture. Tell how the people are loving and serving God.

Walk in Love

Walk in love as Jesus loved,
let us walk in Jesus,
light up the world,
light up the world
with God's own love.

HACIENDO DISCÍPULOS

Muestra *lo* que sabes

Falta una palabra importante en cada afirmación de fe. Escríbela.

Jesús nos muestra como ____________________ y servir.

Cuando rezamos, mostramos nuestro ____________________ a Dios.

Compartimos el ____________________ de Dios con nuestras familias.

Compartimos el ____________________ de Dios con otros.

Haz*lo*

Los sacerdotes de la parroquia nos dirigen en la celebración de la Eucaristía. Ellos nos ayudan a preparar para celebrar los demás sacramentos. Ellos visitan a los enfermos. Ayudan a la gente a aprender más sobre la Biblia y la Iglesia. En grupo escriban una tarjeta para el sacerdote de tu parroquia dándole las gracias por servir a Dios y a los demás.

PROJECT DISCIPLE

Show What you Know

There is an important word missing from these statements. Write it in.

Jesus shows us how to ________________ and serve.

When we pray, we show God that we ________________ him.

We share God's ________________ with our families.

We share God's ________________ with others.

Make it Happen

Parish priests lead us in the celebration of the Eucharist. They help us prepare to celebrate the other sacraments. They visit people who are sick. They help people learn more about the Bible and the Church. As a class, write a card to your parish priest to thank him for serving God and others.

HACIENDO DISCIPULOS

Exprésalo

Haz un dibujo de:

Una manera de mostrar tu amor a tu familia	Una manera de mostrar tu amor a Dios

RETO PARA EL DISCIPULO ¿En qué se parecen estas formas? ¿En qué se diferencian?

Tarea

Invita a cada miembro de tu familia a completar lo siguiente. Escribe tus iniciales al lado de una cosa que harás para compartir el amor de Dios con tu familia esta semana.

- Seré amable y ayudaré.
- Obedeceré a mis padres.
- Cuidaré de las cosas de la familia.
- Perdonaré a otros.

PROJECT DISCIPLE

Picture This

Draw a picture of:

a way that you show your family members you love them	a way that you show God you love him

DISCIPLE CHALLENGE How are these ways alike? How are they different?

Take Home

Invite each member of your family to complete the following. Write your initials beside one thing you will do to share God's love with your family this week.

- I will be kind and helpful.
- I will obey my parents.
- I will take care of things that belong to my family.
- I will forgive others.

25 Honramos a María y a los santos

NOS CONGREGAMOS

✝ **Líder:** Dios escogió a María para ser la madre de su Hijo, Jesús. Escucha la palabra de Dios.

Lucas 1:26–28, 35

Lee conmigo

Antes de nacer Jesús, Dios envió a un ángel a María.
El ángel le dijo:
"¡Favorecida de Dios! El Señor está contigo".
(Lucas 1:28)

El ángel le dijo a María que iba a tener un hijo.
El ángel le dijo: "El niño que va a nacer
será llamado Santo e Hijo de Dios". (Lucas 1:35)

¿Cómo honramos a la gente? Nombra a alguien a quien te gustaría honrar.

CREEMOS

María es la madre de Jesús.

Dios pidió a María que fuera la madre de su Hijo. María dijo sí a Dios. María dio a luz al único Hijo de Dios, Jesús.

We Honor Mary and the Saints

WE GATHER

✝ **Leader:** God chose Mary to be the Mother of his own Son, Jesus. Listen to God's Word.

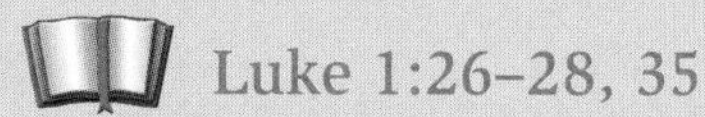

Luke 1:26–28, 35

Read Along

Before Jesus was born, God sent an angel to Mary. The angel said to Mary, "Hail, favored one! The Lord is with you." (Luke 1:28)

The angel told Mary that she was going to have a son. The angel told her, "The child to be born will be called holy, the Son of God." (Luke 1:35)

How do we honor people? Name someone you would like to honor.

WE BELIEVE

Mary is the mother of Jesus.

God asked Mary to be the Mother of his Son. Mary said yes to God. Mary gave birth to God's only Son, Jesus.

María amó a Jesús. María cuidó de él. Lo ayudó a aprender muchas cosas. María escuchó a Jesús enseñar. Ella lo vio curar. Ella celebró días especiales con él.

Jesús siempre amó a su madre. El quiso que sus seguidores la amaran y cuidaran de ella. María nos muestra como vivir como Jesús nos pide.

Como católicos...

Honramos a María de manera especial algunos días del año. En algunos de estos días las parroquias se reúnen en procesiones. En estas caminatas especiales, el pueblo reza y canta canciones a María. Ponen flores frente a las imágenes de María. De esa forma honran a María.

Busca de que otras formas tu parroquia honra a María.

 Escribe una oración sobre la ilustración.

____

La Iglesia honra a María.

La Iglesia honra a María porque ella es la madre de Jesús. Para mostrar nuestro amor la llamamos “Nuestra Señora” y “Santísima Madre”.

Honramos a María como la Madre de la Iglesia. Celebramos sus días de fiesta. En esos días recordamos momentos especiales en las vidas de María y Jesús.

La Iglesia también reza para honrar a Maria. Una oración especial es el Ave María.

 Recen un Ave María.
(Ver página 315)

As Catholics...

We honor Mary in a special way on certain days of the year. On some of these days, parishes gather together for processions. On these special prayer walks, the people sing songs to Mary and pray special prayers. They put flowers in front of a statue of Mary. In this way they honor Mary.

Find out ways your parish honors Mary.

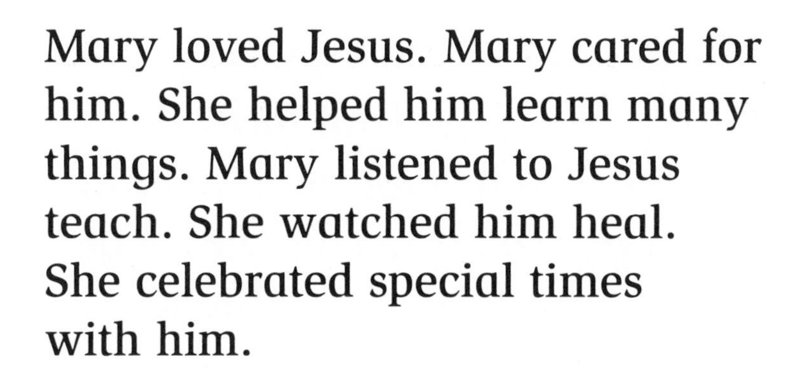

Mary loved Jesus. Mary cared for him. She helped him learn many things. Mary listened to Jesus teach. She watched him heal. She celebrated special times with him.

Jesus always loved his mother. He wanted his followers to love and care for her, too. Mary shows us how to live as Jesus asks us to.

Write a sentence to tell about the picture.

___

The Church honors Mary.

The Church honors Mary because she is the mother of Jesus. To show our love, we call her "Our Lady" and "The Blessed Mother."

We honor Mary as the Mother of the Church. We celebrate her feast days. On these days, we remember special times in the lives of Mary and Jesus.

The Church also has prayers to honor Mary. One special prayer is the Hail Mary.

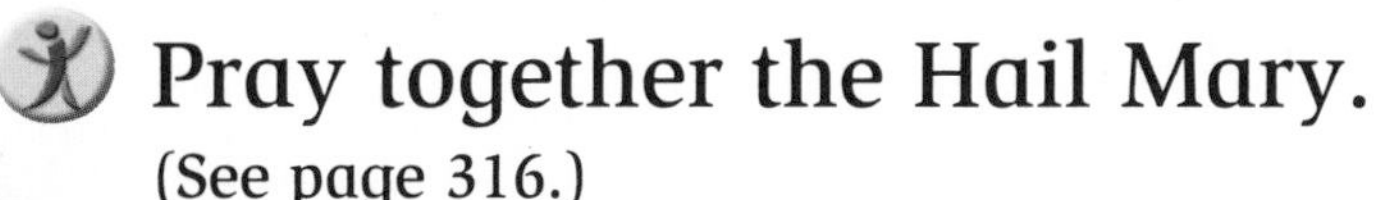

Pray together the Hail Mary.
(See page 316.)

Los santos están cerca de Dios.

Los **santos** son seguidores de Jesús que han muerto y que ahora viven por siempre con Dios. Los santos trataron de vivir de la forma que Jesús pide. Ellos amaron mucho a Dios. Ellos pusieron a Dios primero en sus vidas. Ellos trataron de compartir el amor de Dios con otros. Ellos rezaron con frecuencia a Dios.

Mira los dibujos en estas páginas. Muestran algunos santos de la Iglesia.

Lee conmigo

Santa Ana la madre de María y abuela de Jesús.

San Andrés Kim Taegon fue el primer sacerdote y párroco en Corea.

San Francisco Xavier enseñó al pueblo de la India a conocer a Dios.

Santa Teresa de Avila escribió libros y cartas para ayudar a la gente a amar a Jesús.

San Juan Vianney fue un sacerdote que sirvió a su pueblo.

Santa Catalina Drexel empezó escuelas para los indios y los negros en los Estados Unidos.

Usa un lápiz de color amarillo para subrayar el nombre de cada santo. Habla sobre alguna persona que conoces y que hace cosas como estos santos.

Santa Ana

San Andrés Kim Taegon

San Francisco Xavier

Saint Teresa of Avila

Saint John Vianney

Saint Katharine Drexel

The saints are close to God.

The **saints** are followers of Jesus who have died and now live forever with God. The saints tried to live the way Jesus asked. They loved God very much. They put God first in their lives. They tried to share God's love with others. They prayed to God often.

Look at the pictures on these pages. They show some saints of the Church.

Read Along

Saint Anne was the mother of Mary and the grandmother of Jesus.

Saint Andrew Kim Taegon was the first priest and pastor in Korea.

Saint Francis Xavier taught the people of India to know God.

Saint Teresa of Avila wrote books and letters to help people love Jesus.

Saint John Vianney was a parish priest who served his people.

Saint Katharine Drexel began schools for Native American and African-American children.

Use a yellow crayon. Highlight each saint's name. Talk about some people you know who do the things these saints did.

Honramos a todos los santos de la Iglesia.

santos seguidores de Jesús que han muerto y que ahora viven por siempre con Dios

Hay muchos, muchos santos. Todos los santos amaron mucho a Dios.

La Iglesia honra a todos los santos en un día especial. Es el día de Todos los Santos, el 1 de noviembre.

En ese día celebramos la misa con nuestra familia parroquial. Damos gracias a Dios por todos los santos.

Durante todo el año, podemos pedir a los santos que recen por nosotros. Podemos pedirles que nos ayuden a acercarnos más a Dios. Podemos honrarlos imitándolos.

RESPONDEMOS

Habla de las formas en que podemos imitar a los santos. Pide a los santos que recen por nosotros.

Santos del Señor

Santos del Señor,
santos en el cielo,
rueguen por todos nosotros,
santos del Señor.

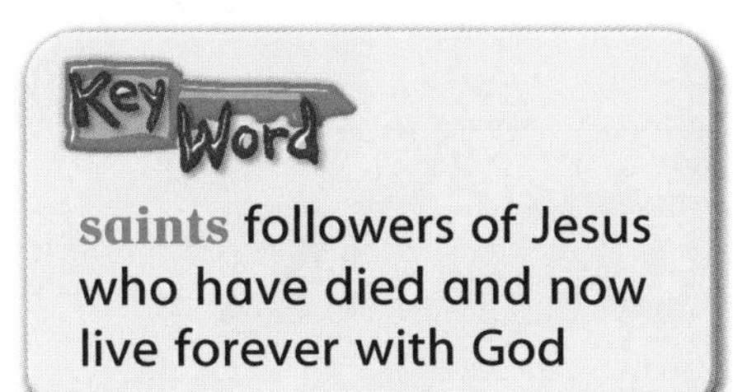

saints followers of Jesus who have died and now live forever with God

We honor all the saints of the Church.

There are many, many saints. All the saints loved God very much.

The Church has a special day to honor all the saints. We call this day the Feast of All Saints. This day is November 1.

On this day we celebrate Mass with our parish family. We thank God for all the saints.

All through the year, we can ask the saints to pray for us. We can ask them to help us grow close to God. We can honor them by trying to be more like them.

WE RESPOND

Tell some ways we can be like the saints. Ask the saints to pray for us.

When the Saints Go Marching In

Oh, when the saints go marching in.
Oh, when the saints go marching in.
Oh, Lord, how I want to be in that number,
when the saints go marching in.

HACIENDO DISCIPULOS

Muestra lo que sabes

Organiza la palabra del Vocabulario.

a s n o t s ____ ____ ____ ____ ____ ____

RETO PARA EL DISCIPULO ¿Cuál es el significado de la palabra del Vocabulario?

____

Exprésalo

Dibuja una forma en que puedes honrar a tu madre. Después dibuja una forma en que puedes honrar a María.

¿En qué se parecen esas formas? ¿En qué se diferencian?

PROJECT DISCIPLE

Show What you Know

Unscramble the Key Word.

t a s i n s ____ ____ ____ ____ ____ ____

DISCIPLE CHALLENGE What does the Key Word mean?

____

Picture This

Draw a way you can honor your mother. Then, draw a way you can honor Mary.

How are these ways alike? How are they different?

HACIENDO DISCÍPULOS

Vidas de santos

San José fue el esposo de María y padre adoptivo de Jesús. El cuidó de ellos. El era un carpintero. Podemos pedir a san José que ayude a todos los trabajadores del mundo. La fiesta de san José Obrero se celebra el 1 de mayo.

Hazlo

Ave María

Jesús quiere que amemos a su madre, María. Podemos mostrar nuestro amor rezándole. Decora el título de esta oración.

Investiga

Muchas personas llevan nombres de santos. ¿Tienes el nombre de un santo? Aprende sobre él y otros santos de tu interés. Visita: *Vidas de santos* en **www.creemosweb.com**.

Tarea

La familia era muy importante para Jesús. El, María y José se amaban y se cuidaban. ¿Quién te ama y te cuida? Haz un árbol de familia. Incluye a todos los miembros de tu familia. Conversa con tu familia sobre tu árbol.

PROJECT DISCIPLE

Saint Stories

Saint Joseph was the husband of Mary and foster father of Jesus. He cared for them. He worked as a carpenter. We can ask Saint Joseph to help all the workers of the world. We celebrate the Feast of Saint Joseph the Worker on May 1.

Make *it* Happen

Hail Mary

Jesus wants us to love his mother Mary. We can show our love by praying to her. Decorate the first words of this prayer.

More *to* Explore

Many people are named after a saint. Are you? Learn about this saint or another saint that interests you. Visit the library or *Lives of the Saints* at **www.webelieveweb.com**.

Take Home

Family was very important to Jesus. He and Mary and Joseph loved and cared for one another. Who loves and cares for you? Make a family tree. Include your family members. Talk about your family tree.

26 Cuidamos de los regalos de la creación de Dios

NOS CONGREGAMOS

✝ **Líder:** Piensen en los dones de la creación de Dios. Ahora vamos a alabar a Dios por todos sus regalos.

Canto de toda criatura

Cantan todos tus santos
con amor y bondad,
cantan todos alegres,
te vienen a adorar.
Cantan todos los montes
y las sierras, Señor,
cantan los pajaritos
de tu gran amor.

¿Cuál es tu lugar favorito afuera?
¿Qué ves ahí?

CREEMOS

El mundo es un regalo que Dios nos ha dado.

Dios nos ha dado la creación para usarla y gozar de ella. El mundo está lleno de lugares hermosos y maravillosas plantas y animales.

We Care for the Gifts of God's Creation

WE GATHER

✝ **Leader:** Think about all the gifts of God's creation. Let us praise God for all these gifts.

Shout from the Mountains

Shout from the mountains,
Sing in the valleys,
Call from the waters,
Dance through the hills!
All of God's people,
All of God's creatures,
All of creation, join in the song!

And we sing:
Holy, holy, holy is God!
Holy, holy, holy and strong!

What is your favorite outdoor place? What do you see there?

WE BELIEVE

The world is God's gift to us.

God has given us all of creation to use and enjoy. The world is full of beautiful places and wonderful plants and animals.

Dios nos pide cuidar de su creación. Dios quiere que todo el mundo en todos los lugares pueda usar esos regalos. Dios quiere que compartamos esos regalos de la creación.

Di como las personas en las ilustraciones están cuidando de la creación.

Los animales son parte de la creación de Dios.

Dios creó y llenó el mundo de animales.

Génesis 1:24–25

Lee conmigo

Entonces Dios dijo: "Que produzca la tierra toda clase de animales: domésticos y salvajes, y los que se arrastran por el suelo". Dios hizo estos animales y vio que todo estaba bien. (Génesis 1:24–25)

Cuando Dios creó a los humanos, él les dijo que cuidaran de los animales. Cuidamos de los animales cuando les damos comida y agua. También les buscamos un lugar para vivir. Tratamos de aprender más sobre ellos y lo que necesitan.

Habla de alguien que cuida de los animales en tu vecindario. Di lo que hace. ¿Qué animales puedes cuidar?

God asks us to take care of his creation. God wants people everywhere to be able to use these gifts. God wants us to share these gifts of creation.

 Tell how the people in the pictures are taking care of God's creation.

Animals are part of God's creation.

God created and filled the world with animals.

Genesis 1:24–25

Read Along

"Then God said, 'Let the earth bring forth all kinds of living creatures: cattle, creeping things, and wild animals of all kinds.' And so it happened: God made all kinds of wild animals, all kinds of cattle, and all kinds of creeping things of the earth. God saw how good it was." (Genesis 1:24–25)

When God created people, he told them to watch over the animals. We care for the animals when we give them food and water. We also make sure they have a place to live. We try to learn more about them and what they need.

Talk about some people in your town who take care of animals. Tell what they do. What animals can you take care of?

Como católicos...

Cada uno de nosotros es especial. Dios ama mucho a cada uno. El nos dio el regalo de la vida. Podemos dar gracias a Dios por su regalo de la vida. Una forma es cuidando de nosotros mismos. Podemos cuidar de nosotros:

- comiendo la comida adecuada
- durmiendo lo suficiente
- manteniéndonos limpios
- obedeciendo las reglas.

¿De qué otra forma podemos dar gracias a Dios por el regalo de la vida?

Todos somos importantes para Dios.

Dios creó a cada uno de nosotros. No hay dos personas iguales en el mundo. Nos gustan cosas diferentes. Tenemos diferentes dones y talentos.

Dios quiere que usemos nuestros regalos y talentos. Podemos usarlos para cuidar de la creación y cuidar de los demás.

Piensa en cuales son tus regalos especiales. Haz un dibujo que muestre una forma en que puedes compartir un regalo.

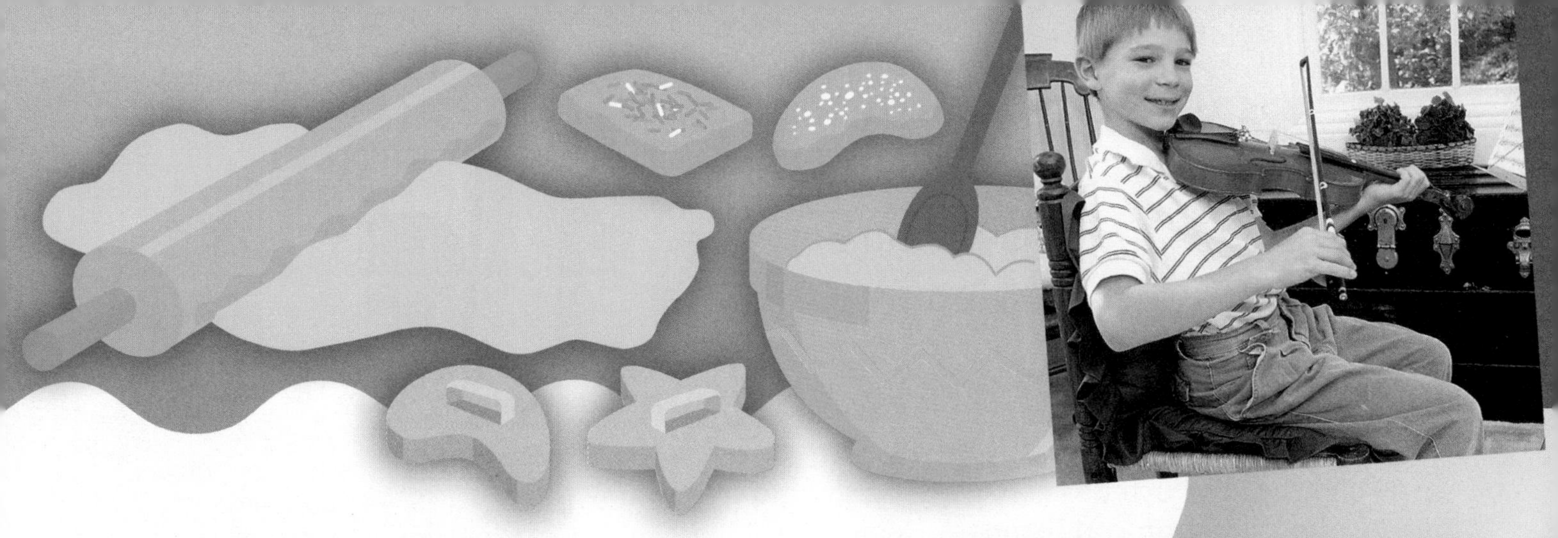

We are all important to God.

God created each one of us. No two people in the world are exactly alike. We enjoy different things. We have different gifts and talents.

God wants us to use our gifts and talents. We can use them to take care of creation and to care for one another.

Think about what your special gifts are. Draw a picture to show a way you can share one gift.

As Catholics...

Each of us is special. God loves each and every one of us. He gave us the gift of life. We can show God our thanks for the gift of life. One way we can do this is by taking care of ourselves. We can take care of ourselves by:

- eating the right foods
- getting enough sleep
- keeping ourselves clean
- obeying rules.

What other ways can we thank God for the gift of life?

Cuidamos y respetamos a todo el mundo.

Jesús habló sobre las formas en que debemos tratar a los demás.

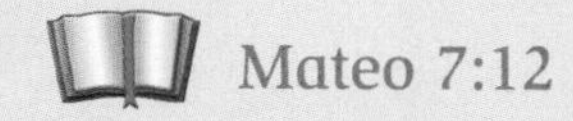 Mateo 7:12

Lee conmigo

Jesús dijo: "Hagan ustedes con los demás como quieran que los demás hagan con ustedes". (Mateo 7:12)

Jesús quiso decir que debemos tratar a todo el mundo de la forma en que queremos ser tratados. Debemos mostrar bondad y respeto. Debemos compartir el amor de Dios con todo el mundo. He aquí algunas formas en que podemos hacerlo.

- Respetando las pertenencias de los demás. No tomar nada sin pedirlo.
- Diciendo la verdad. Nunca mentir.
- Pidiendo perdón si has hecho algo malo.
- Perdonando cuando te piden perdón.

RESPONDEMOS

Vamos a dar gracias a Dios por crear a todo el mundo.

Malo! Malo! Thanks Be to God

Malo! Malo! Thanks be to God! (2x)
Obrigado! Alleluia! (2x)
¡Gracias! Kam sa ham ni da! (2x)
Malo! Malo! Thanks be to God! (2x)

We care for and respect all people.

Jesus talked about ways we should treat other people.

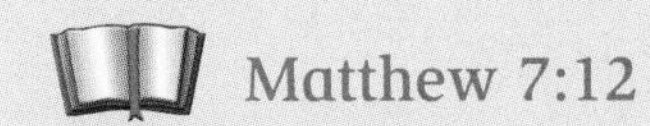

Read Along

Jesus said, "Do to others whatever you would have them do to you." (Matthew 7:12)

Jesus meant that we should treat other people the way we want to be treated. We should show kindness and respect. We should share God's love with all people. Here are some ways we can do this.

- Respect other people's belongings. Do not take anything without asking.
- Tell the truth. Do not tell lies.
- Ask for forgiveness if we have done something wrong.
- Forgive other people when they tell us they are sorry.

WE RESPOND

Let us thank God for making all people.

Malo! Malo! Thanks Be to God

Malo! Malo! Thanks be to God! (2x)
Obrigado! Alleluia! (2x)
¡Gracias! Kam sa ham ni da! (2x)
Malo! Malo! Thanks be to God! (2x)

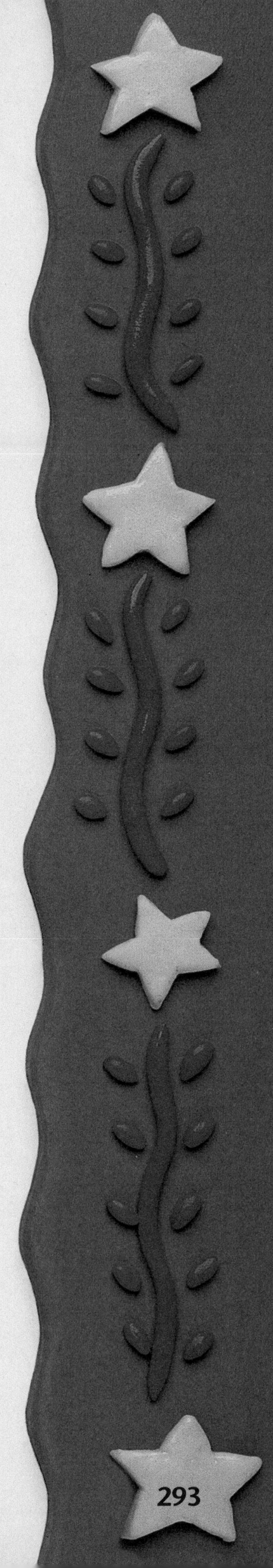

HACIENDO DISCÍPULOS

Muestra lo que sabes

Describe la creación de Dios usando palabras o dibujos.

Realidad

Hoy puedo compartir el amor de Dios:

- ❑ siendo amable.
- ❑ mintiendo.
- ❑ tomando lo ajeno sin pedirlo.
- ❑ pidiendo perdón.
- ❑ perdonando a otros.

PROJECT DISCIPLE

Show What you Know

Describe God's creation. Use words or pictures.

Reality Check

Today I can share God's love by

- ❑ being polite.
- ❑ telling lies.
- ❑ taking others' belongings without asking.
- ❑ asking for forgiveness.
- ❑ forgiving others.

HACIENDO DISCÍPULOS

Consulta

Cada persona es especial para Dios. Tú eres especial para Dios. Comparte tu historia. Dibújate. Contesta las siguientes preguntas.

¿Qué te hace ser un discípulo de Jesús?

____

¿Cuál es un don especial que Dios te ha dado?

____

¿Cómo puedes ayudar a cuidar de la creación?

____

____

Tarea

Juntos en familia conversen sobre formas en que pueden ayudar a cuidar de la creación de Dios.

PROJECT DISCIPLE

Every person is special to God. You are special to God. Share your story. Draw a picture of yourself. Answer the questions below.

What makes you a disciple of Jesus?

____

What is a special gift you have from God?

____

How can you help take care of God's creation?

____

____

Take Home

Talk together about ways you can help care for God's creation as a family.

Tiempo de Pascua

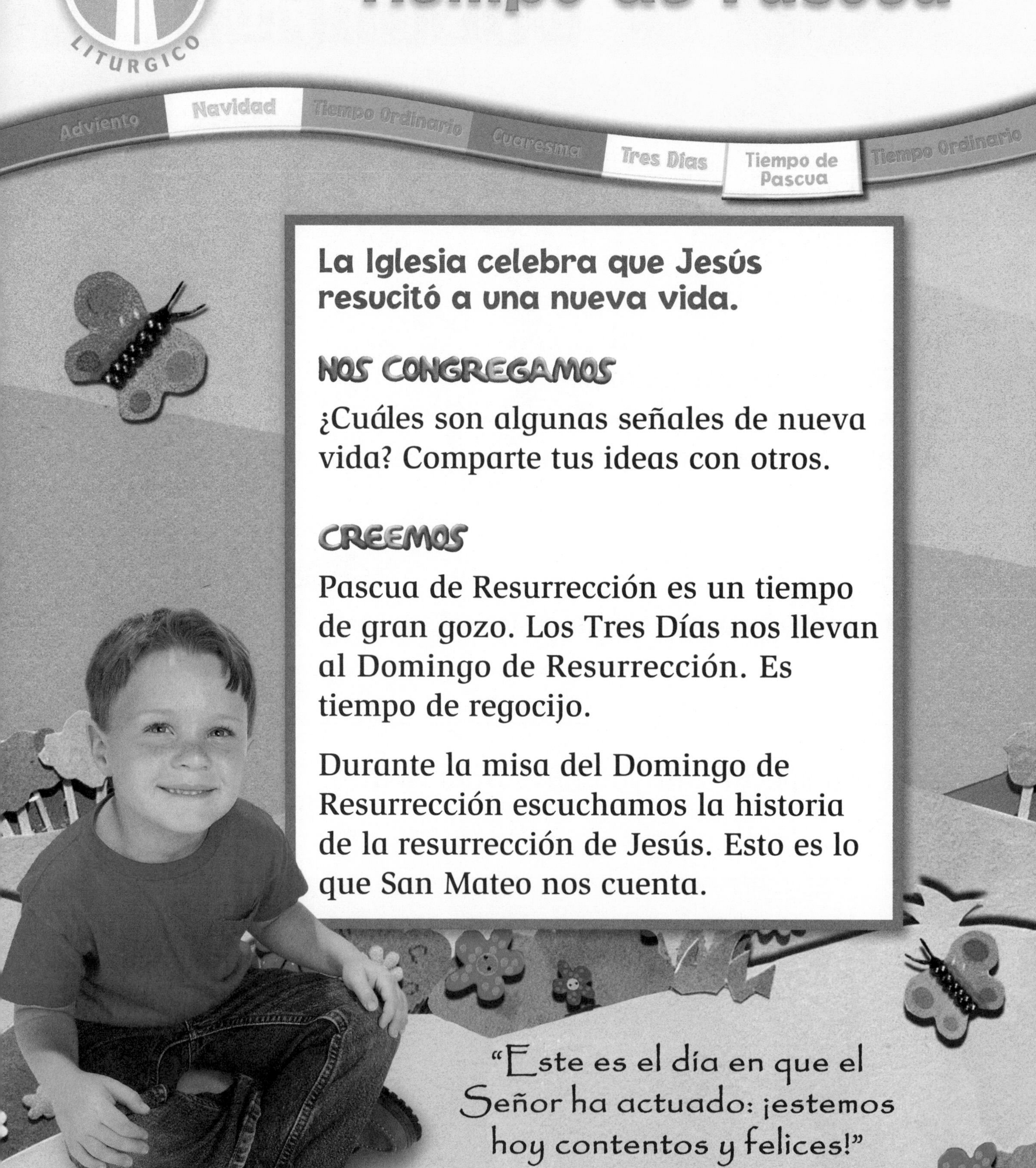

La Iglesia celebra que Jesús resucitó a una nueva vida.

NOS CONGREGAMOS

¿Cuáles son algunas señales de nueva vida? Comparte tus ideas con otros.

CREEMOS

Pascua de Resurrección es un tiempo de gran gozo. Los Tres Días nos llevan al Domingo de Resurrección. Es tiempo de regocijo.

Durante la misa del Domingo de Resurrección escuchamos la historia de la resurrección de Jesús. Esto es lo que San Mateo nos cuenta.

"Este es el día en que el Señor ha actuado: ¡estemos hoy contentos y felices!"

Salmo 118:24

Easter

The Church celebrates that Jesus rose to new life.

WE GATHER

What are some signs of new life? Share your ideas with one another.

WE BELIEVE

Easter is a time of great joy. The Three Days lead us to Easter Sunday. It is time to rejoice!

During Mass on Easter Sunday, we listen to the story of Jesus' rising from the dead. Here is what Saint Matthew tells us.

"This is the day the LORD has made;
let us rejoice in it and be glad."

Psalm 118:24

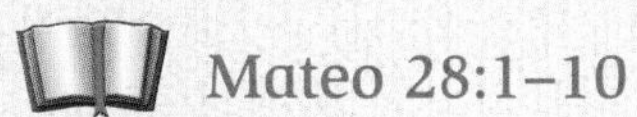

Mateo 28:1–10

Narrador: "Pasado el día de reposo, cuando ya amanecía el primer día de la semana, María Magdalena y la otra María fueron a ver el sepulcro. De pronto hubo un fuerte temblor de tierra, porque un ángel del Señor bajó del cielo y, acercándose al sepulcro, quitó la piedra que lo tapaba y se sentó sobre ella". (Mateo 28:1–2)

Lector: El ángel estaba vestido de blanco. La ropa brillaba. Los soldados se asustaron.

Lector: El ángel dijo a las mujeres que no se asustaran, que Jesús había resucitado. Les dijo que fueran a decir a los demás que pronto verían a Jesús.

Lector: En el camino encontraron a Jesús.

Narrador: Entonces Jesús les dijo: "No tengan miedo. Vayan a decir a mis hermanos que se dirijan a Galilea, y que allá me verán". (Mateo 28:10)

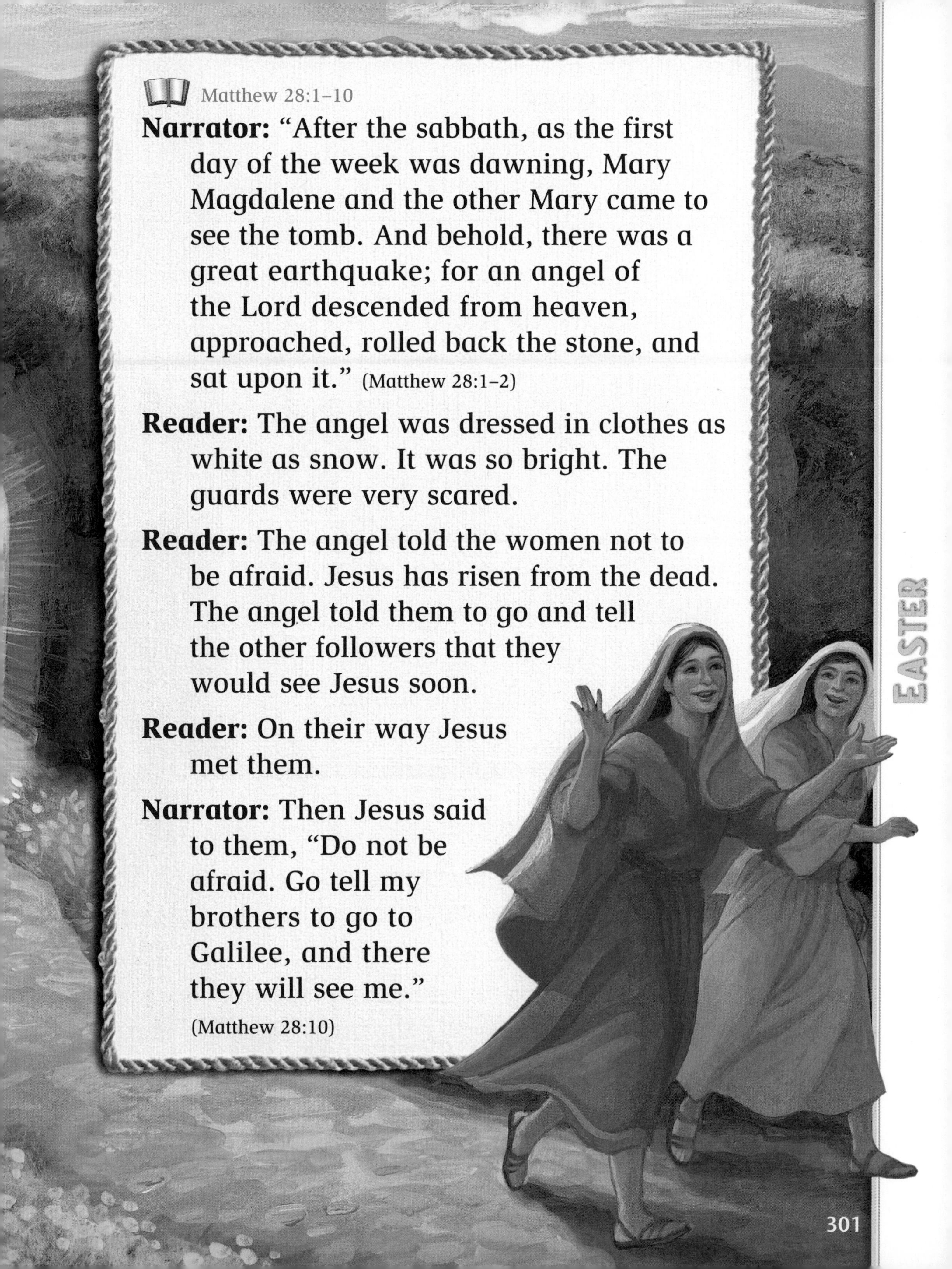

Matthew 28:1–10

Narrator: "After the sabbath, as the first day of the week was dawning, Mary Magdalene and the other Mary came to see the tomb. And behold, there was a great earthquake; for an angel of the Lord descended from heaven, approached, rolled back the stone, and sat upon it." (Matthew 28:1–2)

Reader: The angel was dressed in clothes as white as snow. It was so bright. The guards were very scared.

Reader: The angel told the women not to be afraid. Jesus has risen from the dead. The angel told them to go and tell the other followers that they would see Jesus soon.

Reader: On their way Jesus met them.

Narrator: Then Jesus said to them, "Do not be afraid. Go tell my brothers to go to Galilee, and there they will see me."

(Matthew 28:10)

RESPONDEMOS

Durante el Tiempo de Pascua celebramos que Jesús resucitó a una nueva vida.

¿Cómo mostrarás tu gozo por la resurrección de Jesús?

✝ Respondemos en oración

Líder: Alabado sea Jesús resucitado.

Todos: Nos alegramos y estamos felices. ¡Aleluya!

Lector: Anunciamos tu muerte proclamamos tu resurrección. ¡Ven, Señor Jesús!

Todos: Aleluya.

Aleluya, el Señor resucitó

¡Aleluya! ¡Aleluya!
¡Cantemos alegres hoy!
¡Aleluya! ¡Aleluya! ¡El Señor resucitó!

Cantan los cielos, se alegra la tierra
porque el Señor resucitó.
Todos cantamos y alegres vivimos
porque el Señor resucitó.

WE RESPOND

During Easter we celebrate that Jesus rose to new life.

How would you show your joy that Jesus has risen from the dead?

We Respond in Prayer

Leader: Praised be the risen Jesus.

All: Let us rejoice and be glad, alleluia!

Reader: We proclaim your Death, O Lord, and profess your Resurrection until you come again.

All: Alleluia!

Alleluia No. 1

Chorus:

Alleluia, alleluia!
Give thanks to the risen Lord.
Alleluia, alleluia!
Give praise to his name.

Spread the good news o'er
all the earth:
Jesus has died and has risen. (Chorus)

HACIENDO DISCIPULOS

Usa el código para descubrir un importante mensaje.

J	R	E	O	I	C	S	U	D	A	N	G	T	L	M	Y	V
1	2	3	4	5	6	7	8	9	10	11	12	13	14	15	16	17

___ ___ ___ ___ ___ ___ ___ ___
10 14 3 12 2 10 13 3

___ ___ ___ ___ ___   ___ ___ ___ ___ ___   ___
1 3 7 8 7   15 8 2 5 4   16

___ ___ ___ ___ ___ ___ ___ ___   ___   ___ ___ ___
2 3 7 8 6 5 13 4   10   8 11 10

___ ___ ___ ___   ___ ___ ___ ___ ___
17 5 9 10   11 8 3 17 10

Huevos son signos de nueva vida. También son signos de Pascua. Jesús resucitó de la muerte el día de Pascua.

Tarea

En familia hagan una lista de las formas en que celebrarán juntos la Pascua.

PROJECT DISCIPLE

Use the code to discover an important message.

J	R	E	O	I	C	S	U	D	A	N	R	T	W	L	F
1	2	3	4	5	6	7	8	9	10	11	12	13	14	15	16

___ ___ ___ ___ ___ ___ ___! ___ ___ ___ ___ ___
2 3 1 4 5 6 3 1 3 7 8 7

___ ___ ___ ___ ___ ___ ___ ___ ___ ___ ___
9 5 3 9 10 11 9 2 4 7 3

___ ___ ___ ___ ___ ___ ___ ___ ___!
13 4 11 3 14 15 5 16 3

Fast Facts

Eggs are a symbol of new life. So eggs are a symbol of Easter too! At Easter Jesus rose to new life.

Take Home

With your family list ways that you celebrate Easter together.

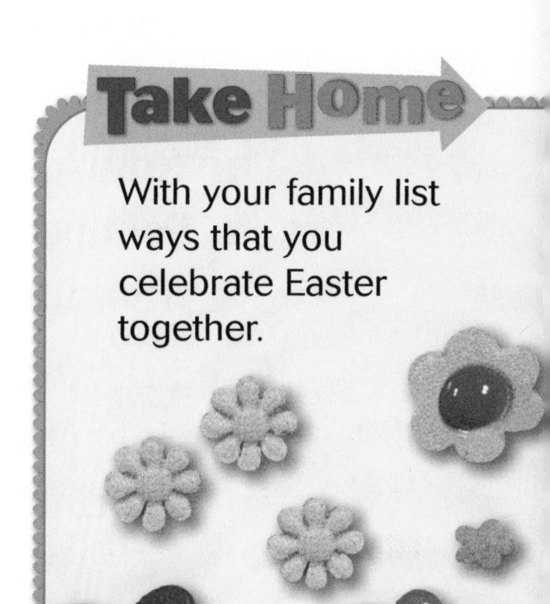

Los siete sacramentos

Sacramentos de iniciación

Bautismo
Confirmación
Eucaristía

Sacramentos de sanación

Penitencia y Reconciliación
Unción de los enfermos

Sacramentos de servicio a la comunión

Orden Sagrado
Matrimonio

The Seven Sacraments

The Sacraments of Christian Initiation

Baptism
Confirmation
Eucharist

The Sacraments of Healing

Penance and Reconciliation
Anointing of the Sick

The Sacraments at the Service of Communion

Holy Orders
Matrimony

El sacerdote nos bendice.
El sacerdote o el diácono dice:
"Podéis ir en paz".

Respondemos:

"Demos gracias a Dios".

Nos vamos a vivir como
seguidores de Jesús.

Nos saludamos. Nos ponemos
de pie y cantamos. Hacemos la
señal de la cruz. El sacerdote
dice: "El Señor esté con vosotros".

Respondemos:

"Y con tu espíritu".

Nos reunimos con nuestra parroquia.

Recordamos y celebramos lo que Jesús hizo y dijo en la última cena.

Doblar aquí.

Cortar aquí.

Pedimos perdón a Dios y a los demás. Alabamos a Dios cantando:

“Gloria a Dios en el cielo, y paz en la tierra a los hombres”.

Después el sacerdote nos invita a compartir la Eucaristía. Al recibir el Cuerpo y la Sangre de Cristo respondemos:

“Amén”.

Mientras esto pasa cantamos un himno de acción de gracias.

Nos preparamos para recibir a Jesús. Juntos rezamos o cantamos el Padrenuestro. Después compartimos el saludo de la paz diciendo:

"La paz sea contigo".

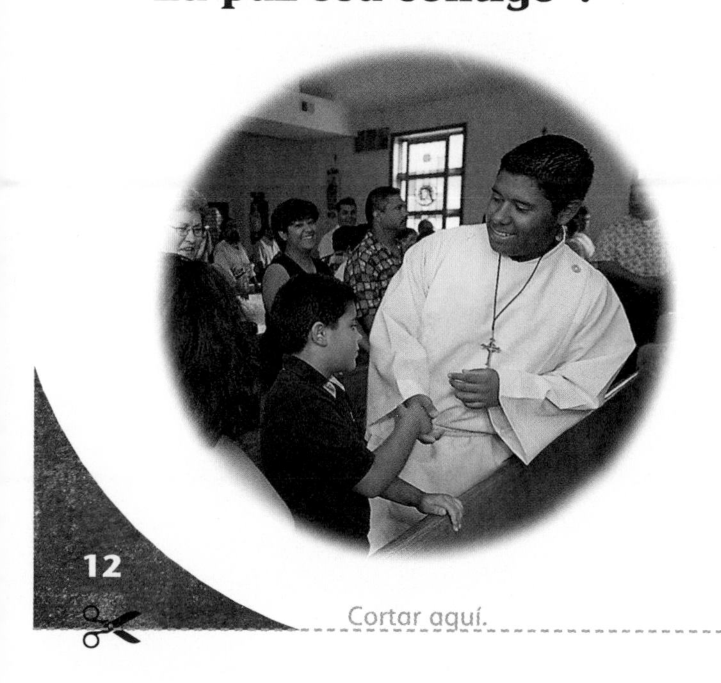

Escuchamos dos lecturas de la Biblia. Después de cada una, el lector dice: "Palabra de Dios". Respondemos:

"Demos gracias a Dios".

Doblar aquí.

Cortar aquí.

Después el sacerdote toma la copa de vino y dice: "Tomad y bebed todos de él, porque este es el cáliz de mi Sangre ..."

Nos ponemos de pie para decir en voz alta lo que creemos como católicos. Después rezamos por la Iglesia y por todo el mundo. Después de cada petición respondemos:

"Señor, escucha nuestra oración".

Nos ponemos de pie y cantamos **aleluya**.

El sacerdote o el diácono lee el evangelio. Al terminar de leer dice: "Palabra del Señor".

Respondemos:

"Gloria a ti, Señor Jesús".

Doblar aquí.

Cortar aquí.

El sacerdote prepara el altar. Llevamos los regalos de pan y vino al sacerdote. El sacerdote prepara esos regalos. Rezamos:

"Bendito seas por siempre, Señor".

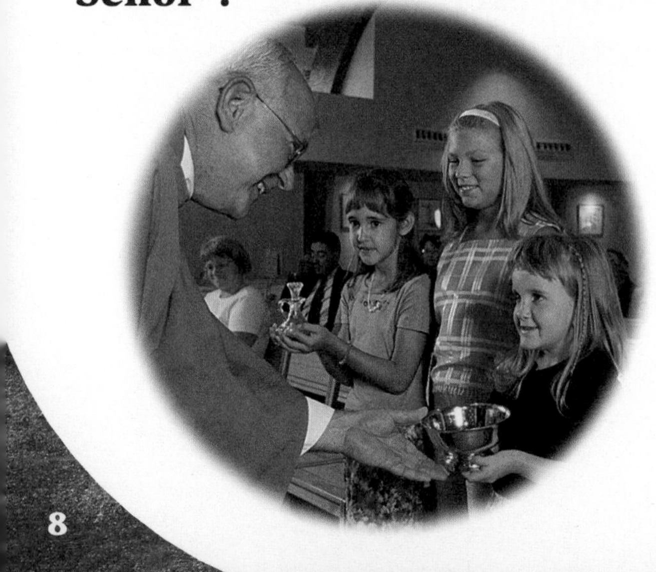

Después recordamos lo que Jesús hizo y dijo en la última cena. El sacerdote toma el pan y dice: "Tomen y coman todos de él porque esto es mi Cuerpo que será entregado por ustedes".

Cantamos o rezamos:

"Amén".

Creemos que Jesucristo está verdaderamente presente en la Eucaristía.

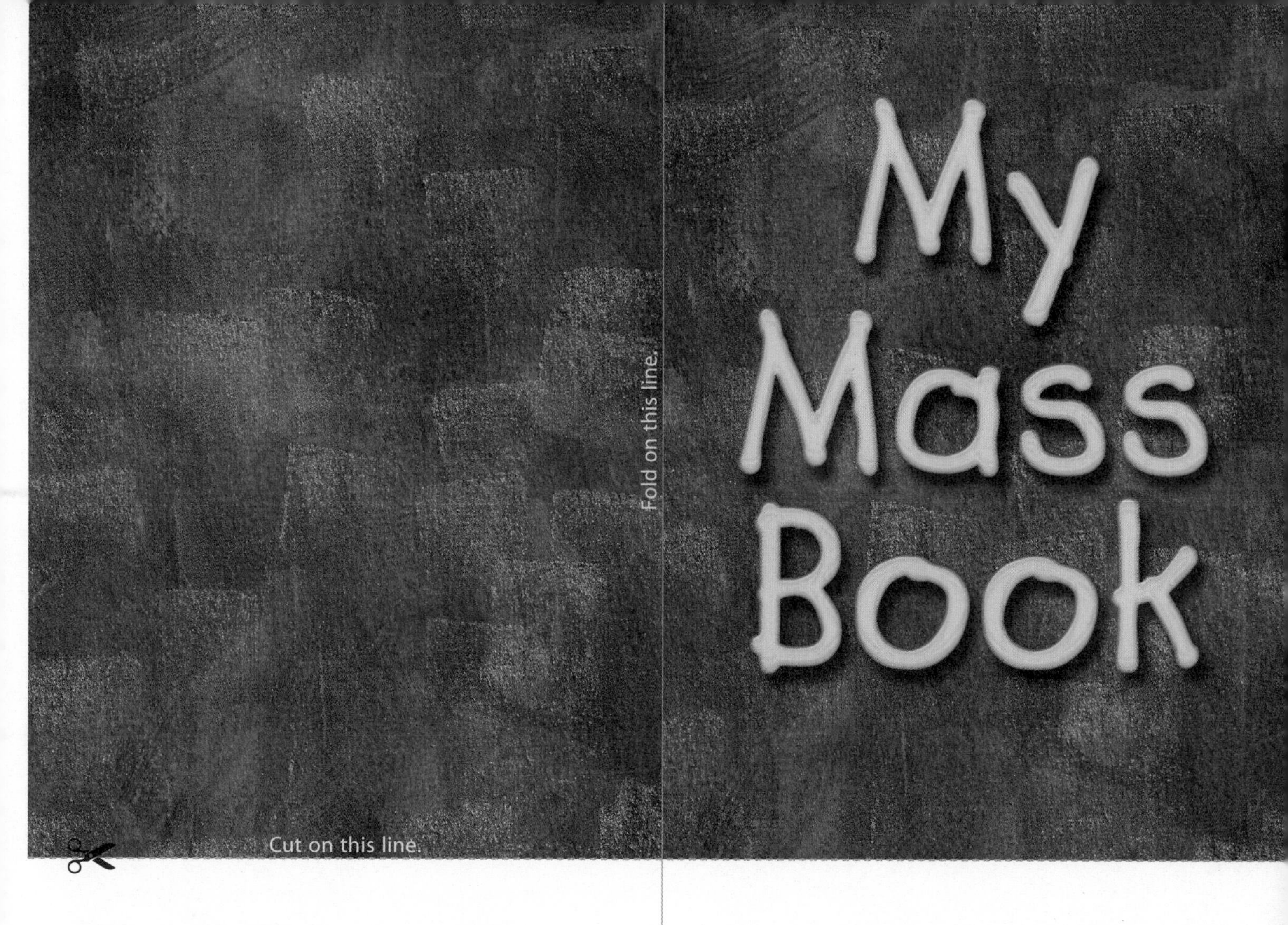

The priest blesses us. The priest or deacon may say, “Go in peace.” We say,

“Thanks be to God.”

We go out to live as Jesus’ followers.

We welcome one another. We stand and sing. We pray the Sign of the Cross. The priest says, “The Lord be with you.” We answer,

“And with your spirit.”

We gather with our parish. We remember and celebrate what Jesus said and did at the Last Supper.

Fold on this line.

Cut on this line.

We ask God and one another for forgiveness. We praise God as we sing,

**"Glory to God in the highest,
and on earth peace to
people of good will."**

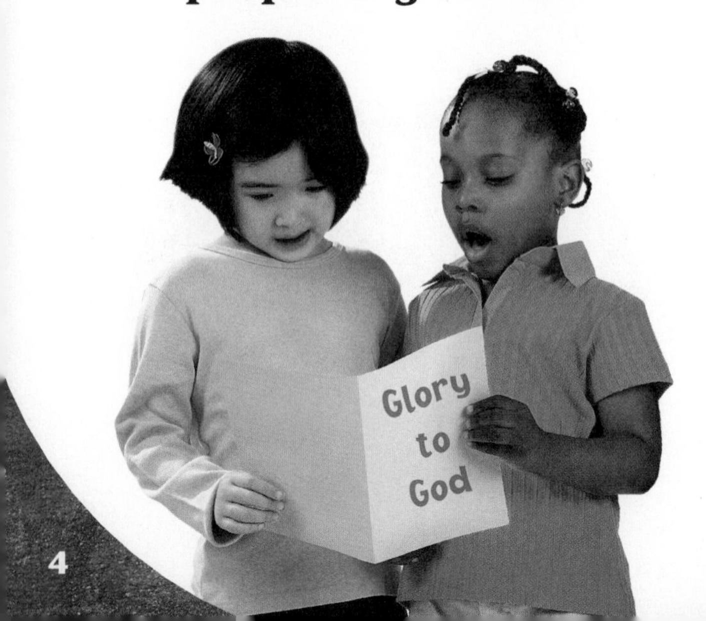

Then the priest invites us to share in the Eucharist. As people receive the Body and Blood of Christ, they answer,

"Amen."

While this is happening, we sing a song of thanks.

We get ready to receive Jesus. Together we pray or sing the Our Father. Then we share a sign of peace. We say,

"Peace be with you."

We listen to two readings from the Bible. After each one, the reader says, "The word of the Lord." We answer,

"Thanks be to God."

Fold on this line.

Cut on this line.

Then the priest takes the cup of wine. He says, "TAKE THIS, ALL OF YOU, AND DRINK FROM IT, FOR THIS IS THE CHALICE OF MY BLOOD. . . ."

We stand to say aloud what we believe as Catholics. Then we pray for the Church and all people. After each prayer we say,

"Lord, hear our prayer."

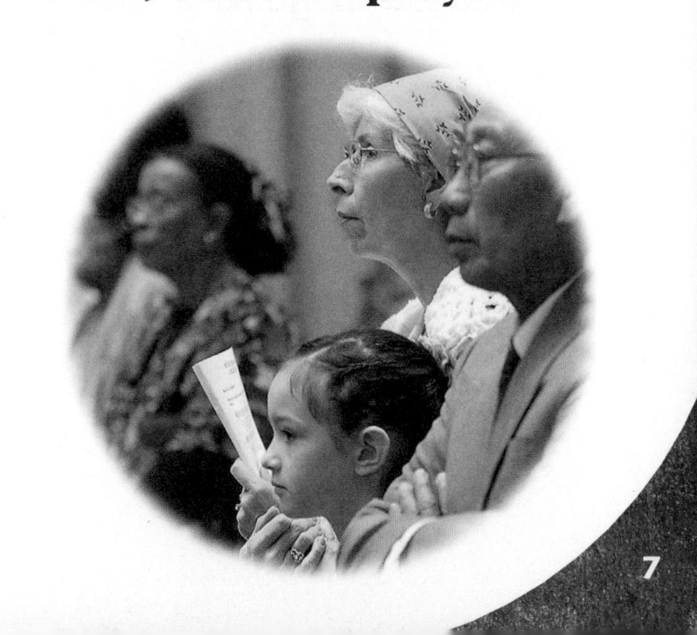

We stand and sing **Alleluia.**

The priest or deacon reads the Gospel. Then he says, "The Gospel of the Lord." We answer,

"Praise to you, Lord Jesus Christ."

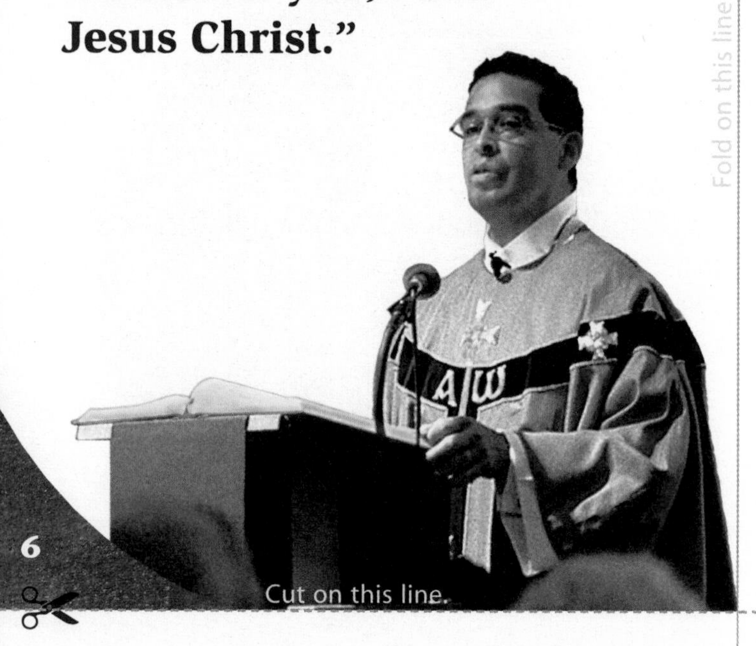

Fold on this line.

Cut on this line.

We sing or pray,

"Amen."

We believe Jesus Christ is really present in the Eucharist.

The priest prepares the altar. People bring gifts of bread and wine to the priest. The priest prepares these gifts. We pray,

"Blessed be God for ever."

Then we remember what Jesus said and did at the Last Supper. The priest takes the bread. He says, "TAKE THIS, ALL OF YOU, AND EAT OF IT, FOR THIS IS MY BODY, WHICH WILL BE GIVEN UP FOR YOU."

Oraciones

Señal de la Cruz

En el nombre del Padre, y del Hijo,
y del Espíritu Santo. Amén.

Gloria

Gloria al Padre, y al Hijo,
y al Espíritu Santo.
Como era en el principio, ahora y
siempre, por los siglos de los siglos.
Amén.

Padrenuestro

Padre nuestro, que estás en el cielo,
santificado sea tu nombre;
venga a nosotros tu reino;
hágase tu voluntad en la tierra
como en el cielo.
Danos hoy nuestro pan de cada día;
perdona nuestras ofensas,
como también nosotros perdonamos
a los que nos ofenden;
no nos dejes caer en la tentación,
y líbranos del mal. Amén.

Ave María

Dios te salve María,
llena eres de gracia;
el Señor es contigo;
bendita tú eres
entre todas las mujeres,
y bendito es el fruto
de tu vientre, Jesús.
Santa María, Madre de Dios,
ruega por nosotros pecadores, ahora
y en la hora de nuestra muerte.
Amén.

Credo de los Apóstoles

Lee conmigo

Creo en Dios, Padre todopoderoso,
Creador del cielo y de la tierra.
Creo en Jesucristo, su único Hijo,
nuestro Señor,
que fue concebido por obra y gracia
del Espíritu Santo,
nació de santa María Virgen,
padeció bajo el poder de Poncio Pilato,
fue crucificado, muerto y sepultado,
descendió a los infiernos,
al tercer día resucitó
de entre los muertos,
subió a los cielos
y está sentado a la derecha de Dios,
Padre todopoderoso.
Desde allí ha de venir a juzgar
a vivos y muertos.
Creo en el Espíritu Santo,
la santa Iglesia católica,
la comunión de los santos,
el perdón de los pecados,
la resurrección de la carne
y la vida eterna. Amén.

Oración para la mañana

Mi Dios, te ofrezco en este día
todo lo que piense, haga y diga,
unido a lo que en la tierra hizo
Jesucristo, tu Hijo.

Oración para la noche

Dios de amor, antes de dormir
quiero agradecerte este
día lleno de tu bondad y de tu gozo.
Cierro mis ojos para descansar
seguro de tu amor.

Prayers

Sign of the Cross

In the name of the Father,
and of the Son,
and of the Holy Spirit. Amen.

Glory Be to the Father

Glory be to the Father, and to the Son,
and to the Holy Spirit,
as it was in the beginning is now,
and ever shall be
world without end. Amen.

Our Father

Our Father, who art in heaven,
hallowed be thy name;
thy kingdom come;
thy will be done on earth
as it is in heaven.
Give us this day our daily bread;
and forgive us our trespasses
as we forgive those who
trespass against us;
and lead us not into temptation,
but deliver us from evil. Amen.

Hail Mary

Hail Mary, full of grace,
the Lord is with you!
Blessed are you among women,
and blessed is the fruit of
your womb, Jesus.
Holy Mary, Mother of God,
pray for us sinners,
now and at the hour of
our death. Amen.

Apostles' Creed

Read Along

I believe in God, the Father almighty,
Creator of heaven and earth,
and in Jesus Christ, his only Son,
our Lord,
who was conceived by the Holy Spirit,
born of the Virgin Mary,
suffered under Pontius Pilate,
was crucified, died, and was buried;
he descended into hell;
on the third day he rose again
from the dead;
he ascended into heaven,
and is seated at the right hand
of God the Father almighty;
from there he will come to judge
the living and the dead.

I believe in the Holy Spirit,
the holy catholic Church,
the communion of saints,
the forgiveness of sins,
the resurrection of the body,
and life everlasting. Amen.

Morning Offering

My God, I offer you today
all that I think and do and say,
uniting it with what was done
on earth, by Jesus Christ,
your Son.

Evening Prayer

Dear God, before I sleep
I want to thank you for this day
so full of your kindness and your joy.
I close my eyes to rest
safe in your loving care.

Glosario

alabar (página 168)
es adorar a Dios y darle gracias

altar (página 256)
la mesa del señor

apóstoles (página 92)
doce hombres escogidos por Jesús para seguirlo

Bautismo (página 192)
sacramento en que nos hacemos hijos de Dios y miembros de la Iglesia

Biblia (página 16)
el libro de la palabra de Dios

confianza (página 52)
creer en los que nos aman

creación (página 16)
todo lo que Dios hizo

Domingo de Resurrección (página 104)
día especial cuando celebramos que Jesucristo resucitó a una nueva vida

Eucaristía (página 242)
el sacramento del Cuerpo y la Sangre de Jesucristo

gracia (página 192)
la vida de Dios en nosotros

Iglesia (página 128)
todos los que creen en Jesús y siguen sus enseñanzas

evangelio (página 256)
es la buena nueva sobre Jesucristo y sus enseñanzas

mandamientos (página 64)
leyes o reglas que Dios nos dio

misa (página 242)
otro nombre para la celebración de la Eucaristía

Navidad (página 40)
tiempo cuando celebramos el nacimiento de Jesús, el Hijo de Dios

pacificador (página 204)
persona que trabaja por la paz

Padrenuestro (página 92)
la oración que Jesús enseñó a sus seguidores

párroco (página 168)
sacerdote que dirige una parroquia

parroquia (página 168)
un grupo de católicos que comparte el amor de Dios

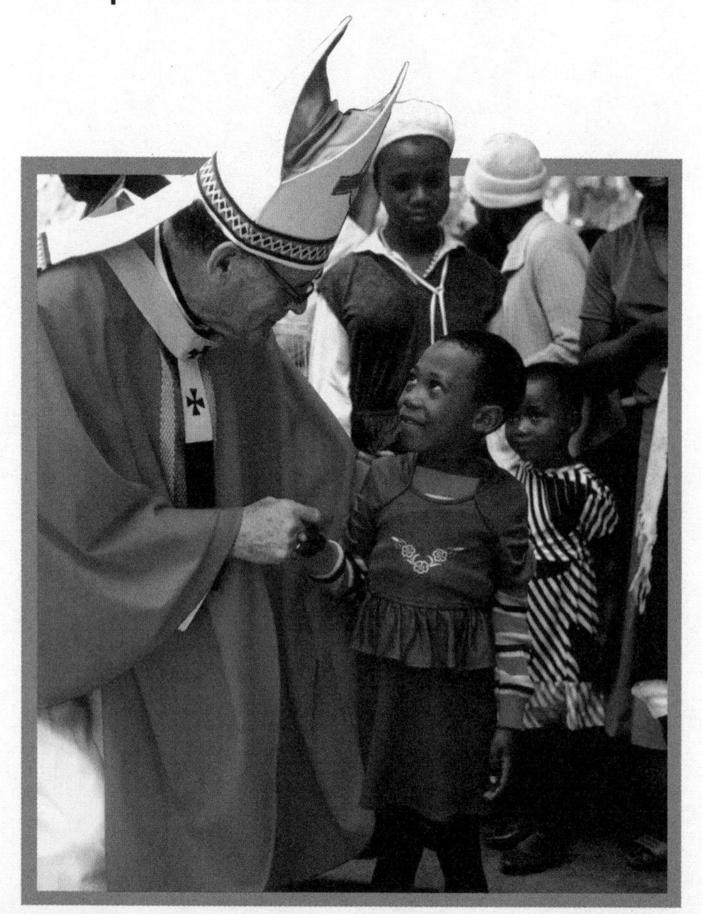

Pentecostés (página 114)
el día en que el Espíritu Santo vino a los seguidores de Jesús

Reconciliación (página 216)
sacramento por medio del cual recibimos y celebramos el perdón de Dios

rezar (página 28)
escuchar y hablar con Dios

sacramento (página 180)
es un signo especial dado por Jesús

Sagrada Familia (página 40)
la familia de Jesús, María y José

Santísima Trinidad (página 28)
un Dios en tres Personas: Dios Padre, Dios Hijo y Dios Espíritu Santo

santos (página 280)
los seguidores de Jesús que han muerto y que ahora viven por siempre con Dios

Señal de la Cruz (página 28)
es una oración a la Santísima Trinidad

Templo (página 104)
lugar santo en Jerusalén donde los judíos rezaban

Glossary

altar (page 257)
the table of the Lord

Apostles (page 93)
the twelve men Jesus chose to lead his followers

Baptism (page 193)
the sacrament in which we become children of God and members of the Church

Bible (page 17)
the book of God's Word

Blessed Trinity (page 29)
One God in Three Persons: God the Father, God the Son, and God the Holy Spirit

Christmas (page 41)
the time when we celebrate the birth of God's Son, Jesus

Church (page 129)
all the people who believe in Jesus and follow his teachings

commandments
(page 65)
laws or rules given to us by God

creation (page 17)
everything God made

Easter Sunday (page 105)
the special day we celebrate that Jesus Christ rose to new life

Eucharist (page 243)
the sacrament of the Body and Blood of Jesus Christ

Gospel (page 257)
the Good News about Jesus Christ and his teachings

grace (page 193)
God's life in us

Holy Family (page 41)
the family of Jesus, Mary, and Joseph

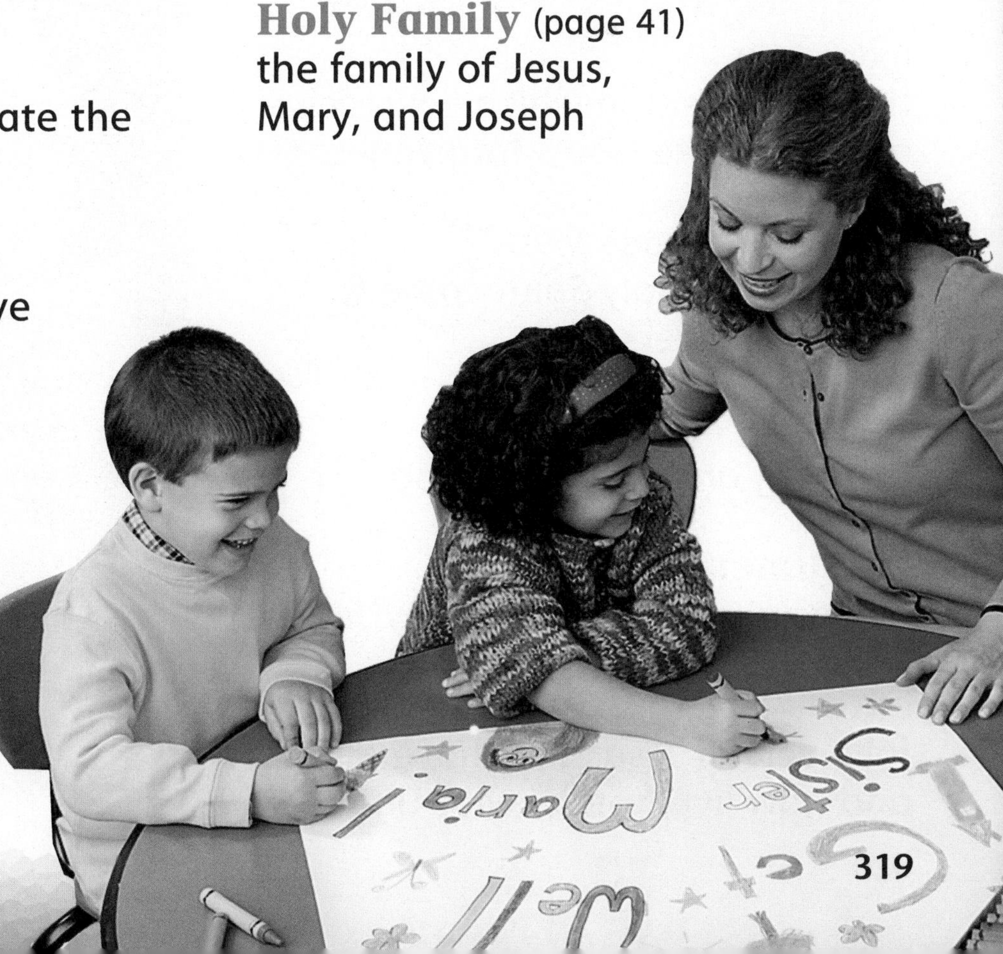

Lord's Prayer (page 93)
the prayer Jesus taught his followers

Mass (page 243)
another name for the celebration of the Eucharist

parish (page 169)
a group of Catholics who join together to share God's love

pastor (page 169)
the priest who is the leader of the parish

peacemaker (page 205)
a person who works for peace

Penance and Reconciliation (page 217)
the sacrament in which we receive and celebrate God's forgiveness

Pentecost (page 115)
the day the Holy Spirit came to Jesus' followers

prayer (page 29)
listening and talking to God

sacrament (page 181)
a special sign given to us by Jesus

saints (page 281)
followers of Jesus who have died and now live forever with God

Sign of the Cross (page 29)
a prayer to the Blessed Trinity

Temple (page 105)
the holy place in Jerusalem where the Jewish People prayed

trust (page 53)
to believe in someone's love for us

worship (page 169)
to give God thanks and praise